Pessoas inteligentes recebem livros de presente.

Dedico este livro a alguém especial

____

Sucessores são especialistas em agradecer, herdeiros, em reclamar.
Sucessores são criativos, herdeiros vivem no cárcere da mesmice.
Sucessores sabem ouvir "nãos", herdeiros detestam os limites.
Sucessores correm atrás de seu sucesso, herdeiros querem tudo pronto.
Sucessores sabem que aplausos e vaias, vitórias e derrotas, risos e tristezas
Fazem parte da história de cada ser humano, incluindo a deles.
Mas quando caem se levantam, quando choram não desistem, pois sabem que
Ninguém é digno da maturidade se não usar suas lágrimas para irrigá-la,
Ninguém é digno do sucesso se não usar seus fracassos para conquistá-lo.
Que você tenha a convicção:
Quem vence sem riscos e dificuldades triunfa sem glórias!

____

___/___/___

PAIS INTELIGENTES FORMAM SUCESSORES, NÃO HERDEIROS

AUGUSTO CURY

PAIS INTELIGENTES FORMAM SUCESSORES, NÃO HERDEIROS

Como ensinar nossos filhos a serem empreendedores, ousados e líderes para construírem seu legado e não viverem à sombra de seus pais

Benvirá

Preparação Leandro Rodrigues
Revisão Laila Guilherme e Augusto Iriarte
Diagramação Estúdio Plot
Capa Graziella Iacocca
Imagem da capa VCL/Justin Pumfrey
Impressão e acabamento Gráfica Paym

CIP-BRASIL. Catalogação na fonte
Sindicato Nacional dos Editores de Livros, RJ

C988a

Cury, Augusto, 1958-
Pais inteligentes formam sucessores, não herdeiros / Augusto Cury. – 1. ed. – São Paulo : Saraiva, 2014.
144 p.; 21 cm.

ISBN 978-85-02-22404-9

1. Educação de crianças. 2. Crianças - Desenvolvimento. 3. Responsabilidade dos pais. 4. Inteligência. 5. Psicologia infantil. 6. Psicologia do adolescente. I. Título.

14-10111 CDD: 372.21
CDU: 372.21

1ª edição, 2014 | 19ª tiragem, setembro de 2023

Av. Paulista, 901 – 4º andar
Bela Vista – São Paulo – SP – CEP: 01311-100

SAC: sac.sets@saraivaeducacao.com.br

CÓDIGO DA OBRA 11882 CL 650945 CAE 568010

Agradecimentos

Agradeço a cada pai (ou responsável), professor e líder que acredita que educar é – mais do que ensinar – desenvolver o pensamento crítico, transferir o capital das experiências e treinar habilidades emocionais para mudar o mundo, pelo menos o mundo de quem amamos. Agradeço também a cada jovem, aluno e aprendiz de líder de todos os povos e culturas que acredita que aprender é se reinventar, que se reinventar é ser um pensador, e que ser um pensador é ter uma mente livre e criativa.

Agradeço ainda a todas as escolas de ensino fundamental e médio e universidades que se preocupam em ser inteligentes e psicologicamente saudáveis e que ensinam a seus alunos a filtrar estímulos estressantes, construir um legado, libertar o imaginário, expandir o raciocínio complexo, ter simpatia, carisma e empatia e ser autores da própria história. Tais escolas – que não investem apenas em quem lhes dá retorno, mas também em quem falha e decepciona – mudam a humanidade, pois seus alunos aprendem que os fracos usam a violência e a autoviolência, enquanto os fortes usam o diálogo, a criatividade e a capacidade de encantar...

Sumário

Prefácio

É mais fácil governar uma cidade ou um país do que educar uma criança. É mais fácil dirigir uma empresa com milhares de funcionários do que formar um pensador. É mais fácil consertar milhares de máquinas supercomplexas do que transformar um ser humano impulsivo e impaciente em alguém tolerante e calmo.

O dinheiro pode comprar uma fábrica de camas, mas pode não produzir uma noite agradável de sono. O sucesso e a fama podem projetar um ser humano ao patamar mais alto de sua sociedade, mas podem não retirá-lo dos níveis mais baixos da ansiedade, da irritabilidade, da insatisfação crônica, da autocobrança. Uma escola pode transmitir milhões de dados sobre matemática, física, química e outras competências técnicas, mas pode não ser socioemocionalmente inteligente, capaz de trabalhar minimamente funções complexas da inteligência, como pensar antes de reagir; reciclar perdas; lidar com contrariedades; expor, e não impor, ideias; altruísmo; serenidade; empatia; carisma.

Somos uma espécie belíssima e dificílima de se compreender e educar. Este livro trata de uma das áreas mais importantes do processo educacional: a formação de sucessores. Claro, ele não oferece todas as respostas, mas joga luz sobre o motivo que leva reinos a caírem, nações a entrarem em decadência, empresas a falirem, famílias a se fragmentarem e personalidades que tinham tudo para dar certo a fracassarem, enquanto outras que tinham tudo para dar errado têm sucesso.

Todos começam a vida como herdeiros, por mais pobres, desprivilegiados e abandonados que sejam. Todos herdam pelo menos uma carga genética, o que lhes dá o direito à vida, e a vida, por si só, é fabulosa, misteriosa e incompreensível em sua plenitude. A grande maioria das pessoas também herda conhecimentos incríveis, como os direitos civis, a cultura de seu povo, os valores de seus pais. Muitas ainda herdam o direito a estudar, a ler livros, a conhecer, a aprender e captar a *expertise* de seus mestres. Essas são heranças notáveis. E uma minoria recebe as heranças "famosas", mas que não são as mais importantes, como bens materiais, empresas, ações, dinheiro.

Quem herda gasta, consome, perde. E gastar sem preservar, consumir sem enriquecer é ser um herdeiro irresponsável, e não um sucessor. Gastam-se os anos de vida, mas tem de haver uma compensação: enriquecer-se com sabedoria. Depositam-se no cérebro valores, ética, cultura, mas é preciso retroalimentá-los, caso contrário, eles se perdem nos porões da memória. Você sabia que ainda hoje várias línguas e culturas se perdem para nunca mais voltarem ao teatro da humanidade? Gastam-se os bens para sobreviver, mas eles precisam ser renovados para que não se esgotem. No entanto, a maioria dos herdeiros sabota sua felicidade, crê que seus bens são eternos.

Sempre falo para meus alunos de diversas nações, sejam graduandos, mestrandos ou doutorandos, que é muito mais fácil formar herdeiros do que sucessores. Herdeiros são gastadores inconsequentes; já sucessores preservam ou multiplicam o que herdam. Herdeiros são imediatistas, querem tudo rápido e pronto; sucessores pensam a médio e longo prazo, adiam pequenas doses de prazer no presente para mergulharem no manancial amanhã. Herdeiros são especialistas em reclamar de seus pais ou responsáveis e de seus mestres; sucessores se curvam em agradecimento àqueles que se doam por eles.

Herdeiros pensam que toda escolha implica ganho; sucessores sabem que toda escolha implica perda: eles têm consciência de que é preciso perder o trivial para alcançar o essencial. Herdeiros vivem à sombra dos outros; sucessores constroem seu próprio legado. Herdeiros têm desejo de mudança, mas, no calor da segunda-feira, seus desejos se evaporam; já sucessores sabem que só existe sucesso quando se sonha e se tem disciplina.

Sucessores não são pessoas geniais, portadoras de dons cerebrais extraordinários. São seres humanos com defeitos e limitações, que choram, recuam e falham. A diferença é que aprenderam intuitivamente as ferramentas básicas que descrevo neste livro. Assim, eles libertaram seu imaginário, reconheceram erros, transformaram lágrimas em maturidade e vexames em crescimento, aproveitaram oportunidades, se reinventaram, refinanciaram sua autoestima, treinaram suas habilidades e sempre deram uma nova chance a si mesmos e aos outros.

Já dá para ter uma ideia de que este livro não se dirige apenas a pais, professores e líderes, mas também a filhos, alunos e liderados. O que antes se aprendia intuitivamente, sem um estudo sistemático, com os estresses da vida, agora pode ser aprendido por meio das ferramentas aqui propostas para educar a emoção, lapidar o intelecto, treinar as notáveis habilidades que fazem de nós mentes livres e produtivas.

Todos nós falhamos, em algum momento, na educação de nossos filhos, mas, aqui, há trinta técnicas para a correção de rota. Meu sonho é que famílias, empresas e escolas se tornem inteligentes e psicologicamente saudáveis. Como disse há mais de dez anos, no livro *Pais brilhantes, professores fascinantes*: quanto pior for a qualidade da educação, mais importante será o papel da psiquiatria e da psicologia clínica. E elas nunca foram tão importantes, pois, sinceramente, nunca estivemos tão doentes mental e emocionalmente.

Dr. Augusto Cury, Ph.D.

1

Educar é a tarefa mais complexa do mundo moderno

"Falhar na educação dos filhos transforma reis em frágeis súditos, generais em trôpegos aspirantes, empresários em fracassados endinheirados, intelectuais em frustrados letrados. Filhos produzem as maiores alegrias ou as maiores decepções para os pais."

AUGUSTO CURY

Herdeiros e sucessores: uma definição vital

Antes de fazermos uma viagem pelo mundo encantado da construção de mentes brilhantes, com paradas obrigatórias no fascinante processo de formação da personalidade, com pausas prolongadas no terreno das relações entre pais e filhos, professores e alunos, líderes e liderados, com direito a repousar e nutrir-se nos incríveis alojamentos do território da emoção, vamos definir bem os termos "herdeiro" e "sucessor". Devemos ter em mente essas definições para que os vagões do conhecimento não saiam dos trilhos, não descarrilem; e, ao contrário, cheguem aos alvos que sonhamos.

Esta obra considera “herdeiros” os receptores gratuitos de todos os bens que norteiam a vida humana, incluindo a própria vida. Como disse, todos, mesmo os que foram abandonados pelos pais ou os perderam, são herdeiros, receberam o dom da existência, possuem uma carga genética, atenção, assistência, ensinamento e proteção mínima.

Herdeiros, quando os pais (ou responsáveis) estão presentes, sejam esses financeiramente ricos ou pobres, receberam ainda bens relevantes: os valores e a educação dos seus progenitores, a cultura, a tradição, as garantias constitucionais dos direitos fundamentais. Os mais privilegiados receberam algo mais de seus pais: doses elevadas de amor, generosidade, tolerância, educação inteligente. E, além disso, há um grupo de filhos que recebeu também como herança bens materiais, como casas, carros, fazendas, ações, dinheiro ou empresas de pequeno, médio e grande porte.

Portanto, é inegável que todas as crianças, adolescentes e adultos jovens são herdeiros. No entanto, aqui entra um problema sério: nenhuma herança dura eternamente e, por isso, a herança precisa ser no mínimo preservada – e, se possível, enriquecida e expandida. E quem preserva, enriquece e expande a herança recebida? Os sucessores!

As tradições podem morrer, os valores podem se diluir, os bens materiais podem evaporar, até a vida envelhece com o tempo e exige cuidados especiais, caso contrário ela é interrompida mais cedo. Os sucessores têm um caso de amor com sua qualidade de vida, enquanto os herdeiros apenas vivem.

O século XVII ficou conhecido como a idade dos mendigos (Huberman, 1986). Em 1630, um quarto da população de Paris era constituída de miseráveis. A pobreza material era assombrosa, mas hoje, no século XXI, voltamos à idade dos mendigos, só que dos mendigos intelectuais, que vivem de migalhas da arte de pensar, da criatividade, da emoção saudável, do encanto pela vida. Nunca houve tanto acesso a informação e nunca se formaram tantos repetidores de dados, mesmo em teses acadêmicas.

Sem que se formem sucessores criativos, ousados, estrategistas, que pensem a médio e longo prazo e vivam sob a "lei do maior esforço", as famílias serão fragmentadas, as empresas pedirão falência, as nações entrarão em decadência e os recursos do meio ambiente se esgotarão. A ascensão e a queda de famílias renomadas, de empresas poderosas, de impérios "imbatíveis", como o romano, ocorreram porque se destruiu a formação de sucessores e se produziram em massa herdeiros dissipadores.

Se um filho consegue preservar os valores éticos, a cultura, os bens de seus pais e de sua sociedade, ele é considerado um sucessor. E, se dá um passo além, enriquece esses valores, expande as ideias e contribui para tornar a sociedade mais inteligente, justa e rica, ele se torna um sucessor mais notável. Nessa categoria entram, por exemplo, Sócrates, Leonardo da Vinci, Galileu Galilei, Immanuel Kant, Abraham Lincoln, Rui Barbosa e tantos outros.

Se os adolescentes que estudam em escola pública, como eu estudei, valorizarem seus mestres, debaterem ideias, libertarem seu imaginário, se dedicarem aos livros com disciplina, estarão preparados para se tornar incríveis sucessores. Terão herdado a oportunidade de estudar, e não a desperdiçarão: serão protagonistas de sua história.

Muitos pais pagam com sacrifício escolas particulares para seus filhos, mas, se estes não atuam como sucessores, desperdiçam essa oportunidade, sem saber que nesta breve existência as oportunidades são escassas e algumas nunca voltam. Veremos que os herdeiros vivem à sombra de seus pais e são peritos em reclamar, enquanto os sucessores são notórios por agradecer e construir seu legado. Que legado você está construindo?

Se um filho herda uma pequena empresa e faz um planejamento, traça metas, estabelece prioridades e usa seu capital intelectual para ser criativo, proativo, dinâmico, ele tem grande chance de expandi-la e transformá-la numa sólida e sustentável companhia. Deixa, assim, o rol dos herdeiros passivos, os consumidores de herança irresponsáveis, e se torna um sucessor altamente digno. Uma das marcas dos sucessores é fazer muito do pouco, enquanto a dos herdeiros é fazer pouco do muito.

Você é um herdeiro ou um sucessor? E o que está formando?

Pais que atuam apenas como manuais de regras de comportamento, que são especialistas em apontar falhas, criticar e comparar, que não encantam nem usam ferramentas para conquistar e educar o território da emoção de seus filhos têm grande chance de formar herdeiros, e não sucessores.

Professores que só transmitem dados de maneira fria, que não sabem resolver conflitos em sala de aula, que não descobrem como estimular a criatividade nem sabem como provocar a inteligência de seus alunos têm grande chance de formar uma plateia de herdeiros, e não de sucessores. Herdeiros que impõem e não expõem suas ideias e nem pensam antes de reagir. Infelizmente, dezenas de milhares de escolas, com seu ensino clássico de saturar a memória, não estão aptas a formar mentes brilhantes e empreendedores proativos, que, como veremos, respiram a lei do maior esforço.

Líderes empresariais que têm a necessidade neurótica de poder e de evidência social, que dominam seus colegas de trabalho e não conseguem estimular o imaginário deles nem inspirá-los destruirão o futuro da empresa, pois capacitarão profissionais imediatistas, despreparados para prevenir erros, incapazes de se reinventar e de pensar a médio e longo prazo. Quem se comporta como herdeiro nunca será um líder brilhante; terá importantes déficits, seja como executivo, profissional liberal ou funcionário nos mais diversos escalões.

Neste livro, portanto, a definição de herdeiro concentra os aspectos doentios, irresponsáveis, limitadores e imaturos da personalidade. Já o conceito de sucessor reúne as características intelectuais, socioemocionais e profissionais saudáveis. Por isso, embora este livro enfoque os pais e os filhos, ele também interessa a professores e alunos e à formação dos mais diversos profissionais.

É claro que podemos ser sucessores em relação a determinados bens e herdeiros em relação a outros. Por exemplo:

algumas pessoas podem preservar a cultura e os valores de sua sociedade e, ao mesmo tempo, ser consumidoras compulsivas e irresponsáveis, incapazes de lidar minimamente com dinheiro. Ou, ao contrário, podem ser "carrascas" de pessoas, comportar-se como deuses autoritários em suas empresas, mas ao mesmo tempo saber investir recursos para expandir seus empreendimentos. Todavia um contraste demasiado entre características de herdeiro e de sucessor na mesma mente revela uma personalidade doente.

É muito mais fácil para pais que se comportam como herdeiros formar herdeiros. Formá-los não envolve esforço, labuta, reconhecimento de erros, pedidos de desculpa, mudanças de rumo, reflexões sobre as necessidades neuróticas e tampouco atitudes para desenvolver as funções mais complexas da inteligência.

Há, portanto, uma diferença enorme, gritante, entre formar um sucessor ou um herdeiro. O que você é, herdeiro ou sucessor? E o que está formando? Você deve se fazer essas perguntas inúmeras vezes ao ler este livro.

Se você quiser ser um pai ou uma mãe (ou qualquer tipo de tutor) inteligente e realizado, enfim, um educador que faça a diferença no cenário educacional, deverá usar estratégias e ferramentas que lhe permitam ser um sucessor e formar sucessores.

O que o meio ambiente social fez com você é importante, mas o que você faz com o que fizeram de você é fundamental! Por isso este livro deve ser lido também pelos filhos desde a pré-adolescência, porque eles se reconstroem à medida que são construídos pela sociedade. Nenhum ser humano deve ser passivo.

Você tem a possibilidade de ser vítima ou autor de sua história. Culpar a carga genética, os traumas, as privações, a educação, o ambiente social pelos nossos erros, nossos defeitos de personalidade, nossas dificuldades sociais e financeiras, é não ter consciência de que temos um elevadíssimo capital intelectual que pode ser usado de maneira inteligente para reescrever nossa história. A vida é feita de escolhas. Espero que possamos escolher e lutar para ser os atores principais no teatro social, e não espectadores passivos.

2

Pais bem-intencionados também falham

"Que você seja um garimpeiro de ouro nos solos da mente de seus filhos. E, ao garimpar, que você se transforme num inteligente educador. E, se educar, que não tenha medo de fracassar; e, se fracassar, que não tenha medo de chorar; e, se chorar, repense sua vida, mas não desista, dê sempre uma nova chance para si e para quem ama..."

AUGUSTO CURY

Explore o território emocional do seu filho

Psiquiatras, psicólogos e psicopedagogos podem ser equilibrados e capacitados para compreender e intervir no complexo mundo de seus pacientes, mas podem não o ser para fazer o mesmo em mundos tão próximos e complexos: a mente de seus filhos. Sua capacidade de usar teorias como a psicanalítica, a existencialista, a comportamental e a cognitiva para interpretar os conflitos dos pacientes pode indicar que tiveram uma boa formação como psicoterapeutas. Mas, ainda assim, podem encontrar dificuldades gritantes para atuar como pais e mães, para ensinar aos filhos a trabalhar perdas e frustrações, a desenvolver resiliência, a ter autonomia, a construir projetos de vida e a lutar por seus objetivos.

Parece um paradoxo: nós, profissionais da área de saúde mental, somos especialistas em tratar dos outros; mas, se não aprendemos a manipular com inteligência ferramentas educacionais, as pessoas que mais amamos adoecem diante dos nossos olhos. Se erros no processo educacional ocorrem com eficientes profissionais de psiquiatria, psicologia, educação, sociologia, imagine como podem cometê-los as pessoas que não tiveram oportunidade de estudar a mente humana.

É mais fácil tratar de centenas de pacientes psiquiátricos do que educar um filho. Do mesmo modo, é mais fácil liderar milhares de funcionários numa empresa do que "liderar" a educação de um filho para que ele tenha uma mente livre, tranquila e criativa. Construir pontes de maneira inteligente com nossos filhos para resolver frustrações e superar limitações faz toda a diferença para o seu futuro emocional e profissional. Mas construir essas pontes exige uma engenharia emocional mais complexa do que a engenharia lógica e linear utilizada para construir pontes fisicas.

Na engenharia emocional, quem é sempre crítico, lógico e radical pode causar graves acidentes na formação dos filhos. Tem chance de formar herdeiros com personalidade tímida, insegura ou impulsiva. No processo de formação de sucessores, é fundamental apostar mais e exigir menos, saber encantar mais e, ao mesmo tempo, colocar limites. Na engenharia educacional, utilizamos as mãos para aplaudir os filhos quando acertam, os lábios para destilar coragem e sabedoria quando eles se intimidam e os ombros para apoiá-los quando falham, choram e ninguém acredita neles. Bem-vindo ao mundo ilógico e fascinante da educação da emoção.

Sempre comento com meus alunos de mestrado e de doutorado em psicanálise, psicologia e ciências da educação que um dos maiores erros que muitos educadores cometem, incluindo psiquiatras e psicoterapeutas, é achar que conhecem profundamente aqueles que lhes são íntimos, em especial os seus filhos. Você conhece o território da emoção dos seus filhos? Já adentrou camadas mais profundas da mente deles? Conhece os medos sequestrados, as lágrimas represadas e os pesadelos que os assombram? Se você é um professor, conhece as crises e os conflitos que estão nos bastidores dos comportamentos irritadiços e alienantes de seus alunos?

Conhecemos o comportamento de nossos filhos e alunos, os níveis de ansiedade, as manias, a teimosia, a reatividade aos eventos, a capacidade de resposta, mas não a sua essência. Conhecemos a sala de estar da personalidade, porém frequentemente não perscrutamos as áreas mais íntimas do psiquismo das pessoas que nos são mais caras.

Pais inteligentes saem da superfície da relação e aprendem a penetrar no infinito mundo psíquico de seus filhos, sabem que a relação é uma troca e que também devem aprender com eles. Por isso julgam menos e abraçam mais, impõe menos regras e estimulam mais o pensamento crítico.

Pais "desinteligentes", ao contrário, embora possam ser academicamente cultos, dão respostas rápidas e impensadas, querem mudar seus filhos pelo tom de voz e pela pressão das palavras, dos sermões e das críticas contundentes. São ávidos para apontar o dedo e lentos para estimulá-los a "comprar uma passagem" para que viajem para dentro de si, se interiorizem, se mapeiem, se reciclem. Por favor, recolha os dedos que apontam erros e abra os braços para envolver e apoiar mais. Minimize os defeitos e maximize as qualidades.

Todos os educadores precisam ser transparentes, sondar suas falhas e limitações. Agimos com inteligência ou desinteligência? Como afirmo no livro *Ansiedade: como enfrentar o mal do século*, uma pessoa que não mapeia seus conflitos, seja ela um adulto ou um adolescente, carrega-os pela vida toda, nunca os resolve, leva-os para o túmulo. Muitos jovens escondem traumas atrás do orgulho, da irritação, da capacidade de argumentar. Muitos pais escondem seus conflitos atrás da autoridade, da cultura, do status social, da conta bancária. Podemos fugir de tudo e de todos, mas não de nós mesmos.

Filhos precisam de pais que sejam acima de tudo seres humanos. Os pais que se humanizam ensinam seus filhos a não se comportar como deuses. Pais que reconhecem seus erros ensinam seus filhos a pedir desculpas. Pais que relaxam ensinam seus filhos a gerenciar seu estresse. Pais que não são punitivos ensinam seus filhos a não desistir de seus sonhos. Enfim, pais inteligentes formam sucessores, pois ensinam a seus filhos a exercer seu mais solene papel social, o de ser um ser humano feliz, saudável, proativo.

Boas escolas, alunos doentes

Tendemos a terceirizar a educação de nossos filhos usando a escola. Os papéis dos pais são insubstituíveis. Colocar os filhos nas melhores escolas do mundo, com os melhores professores, com a mais excelente tecnologia, e levá-los a tirar as melhores notas não são garantias de formá-los com a mente livre e as emoções saudáveis.

Se nossos filhos não aprenderem as habilidades mais importantes da inteligência, o "gênio" desaparecerá quando cair no mercado de trabalho, quando precisar "vender" sua imagem, construir relações, enfrentar desafios, sonhar. E quais são essas habilidades? A flexibilidade, o trabalho em equipe, o debate de ideias, a capacidade para suportar frustrações, a tolerância, a transparência, o pensamento a médio e longo prazo. Notas nas provas são importantes, mas notas nas provas existenciais são muito mais. Não há segurança de que os alunos com as melhores notas alcancem os mais notáveis sucessos na vida.

Boas escolas, bem como boas universidades, mesmo nas nações mais ricas, bombardeiam a memória de seus alunos com milhões de dados e formam técnicos ou profissionais preparados. Mas há um paradoxo: em todas as nações se escolhem os profissionais por suas competências técnicas, mas 80% dos executivos são despedidos por falta de habilidades comportamentais. Justamente as dos sucessores que acabei de citar e que não são aferidas nas provas escolares.

Em que nação os pais e as escolas ensinam seus filhos e alunos a filtrar estímulos estressantes? Em que colégio os jovens aprendem a desenvolver um Eu capaz de ser gestor de sua mente? Onde eles aprendem a ousadia, a autonomia e a capacidade de domesticar os fantasmas da emoção, os diversos medos que os asfixiam? Em que sociedade os jovens são ensinados a reciclar seus bloqueios e suas falsas crenças? Onde aprendem a pensar como humanidade e não apenas como grupo político, religioso e social?

Pais inteligentes não devem ser passivos; devem formar comitês para orientar e reivindicar que as escolas de seus filhos trabalhem não só as informações objetivas, mas também a educação da emoção, o debate de ideias, o gerenciamento do pensamento, o raciocínio esquemático. O futuro emocional dos seus filhos é fundamental. As escolas clássicas, por melhores que sejam, precisam de um choque de lucidez para se tornarem uma escola de inteligência e não apenas uma escola que enfoca as informações, a memória e as provas. A família não deve se omitir. Ela mesma deveria ser um foco de investimento para contribuir para um ensino de qualidade (Bayma-Freire; Roazzi, 2012).

Podem-se ensinar com maestria matemática, física, química, português e outras habilidades técnicas, mas isso não garante que os alunos deixarão de ser imaturos, inconsequentes, herdeiros irresponsáveis. Podem-se adquirir títulos de mestre e doutor e, ao mesmo tempo, ter uma capacidade reduzidíssima de trabalhar angústias, contrariedades e de se colocar no lugar dos outros. Reafirmo: ter êxito na formação de sucessores não depende da dimensão de nossa autoridade, do prestígio social, do poder político, de um banco de dados, de uma conta bancária, mas do quanto de maturidade se adquire no território psíquico. E, como tenho dito em muitos países, maturidade não é algo inato ou genético: é algo que se conquista.

3

Educar a emoção é a chave

"Com palavras inteligentes, os pais transformam cada momento num espetáculo solene. Com um amor maduro, os pais transformam cada minuto numa eternidade. Usando, portanto, suas palavras e seu amor, os pais podem mudar o mundo quando mudam o mundo dos seus filhos."

AUGUSTO CURY

Não há formação de personalidade sem traumas

Não há caminhos sem acidentes, seja na história de uma criança ou adolescente milionário, seja na de um jovem destituído de privilégios financeiros. Não há formação de personalidade sem traumas. Sucessos e crises, o céu e o inferno emocional fazem parte da história da formação da personalidade de todo ser humano. Ninguém é poupado, nem uma criança superprotegida. Aliás, a superproteção já é uma fonte de problemas, como veremos adiante. A própria condição humana, encapsulada num corpo frágil, que se machuca, se fere e é mortal, é uma fonte de estresse. E todo estresse, se usado adequadamente, pode alavancar o crescimento, a estabilidade emocional e a famosa e pouco compreendida felicidade.

Existem, no entanto, alguns estímulos estressantes que podem funcionar como um cárcere. Entre eles podemos citar a humilhação pública, as privações, a violência na infância, a discriminação social, os apelidos pejorativos, a perda dos pais, as doenças incapacitantes. Mas, como cada ser humano é um mundo único, ele reage de maneira diferente diante dos estresses que atravessa.

Algumas crianças, filhas de pais alcoólatras, agressivos e insensíveis, teriam todos os motivos para apresentar transtornos psíquicos, mas filtraram intuitivamente esses estímulos estressantes e não asfixiaram o processo de formação da personalidade. Tornaram-se livres, bem-humoradas, bem resolvidas. Tornaram-se enfim sucessores, fazendo muito do pouco que herdaram.

De outro lado, há milhões de crianças e adolescentes que frequentaram escolas respeitadas, tiveram pais cuidadosos, foram preservados de estímulos estressantes contundentes, ou seja, tiveram todos os motivos para atingir a excelência emocional e profissional, mas não o fizeram; ao contrário, tornaram-se herdeiros que nunca valorizaram a vida, o ar, o belo, a interação, a cooperação, a existência.

Os pais e as escolas jamais fabricam a personalidade de seus filhos e alunos. Não temos controle sobre determinados fenômenos do desenvolvimento da inteligência. Mas, sem dúvida, se aprendêssemos a usar algumas ferramentas fundamentais, incluindo as que aqui discutiremos, os riscos de formar mentes doentes poderiam ser bem menores.

Nos textos que se seguem vou comentar, como sempre faço em meus livros de aplicação psicológica e de ciências da educação, alguns fenômenos fundamentais da Teoria da Inteligência Multifocal para compreendermos os bastidores da formação da personalidade e, assim, demonstrar por que é mais fácil formar herdeiros imaturos e superficiais do que sucessores maduros e resilientes. Compreender esses fenômenos nos retira da esfera das informações rápidas e nos introduz em camadas mais profundas da construção do ser humano.

As janelas da memória e os segredos da personalidade

Todas as experiências que vivenciamos durante o processo de formação da personalidade são arquivadas nos bastidores de nossa mente, no córtex cerebral, formando janelas da memória. É nessas janelas que estão os segredos do que somos, sentimos, vemos e de como reagimos ou interpretamos. Ter sucesso na tarefa de contribuir para o arquivamento de janelas saudáveis faz toda a diferença para o futuro de nossos filhos.

Janelas da memória são um território de leitura no córtex cerebral que utilizamos como matéria-prima para construir todos os pensamentos e emoções (Cury, 1999). Cada janela, embora muito menor que um grão de areia, é um pequeno e sofisticado arquivo que contém milhares de informações. Nos computadores, temos acesso a todos os campos da memória; na memória humana, só temos acesso às janelas que se abrem em cada momento. O grande desafio, seja de um aluno durante uma prova, de um cirurgião durante uma operação, de um juiz diante de um réu ou de um trabalhador operando uma máquina, é abrir o máximo de janelas para construir respostas inteligentes.

No cérebro humano há pelo menos três grandes tipos de janelas, com muitos subtipos:

Janelas neutras: são as áreas da memória que contêm os registros frios, secos, inertes e, portanto, destituídos do mais indecifrável e marcante dos fenômenos psíquicos: a emoção. Provavelmente mais de 90% das janelas da memória não têm carga emocional. Elas contêm milhões de informações como imagens, números, endereços, telefones, conhecimentos corriqueiros e profissionais. Todos os dados, sejam escolares, acadêmicos, extraídos de livros e da internet, estão nessas janelas.

Os computadores, por terem 100% dos arquivos neutros, nunca amarão, odiarão, terão sonhos, pesadelos ou medos nem sentirão o sabor da ansiedade ou da felicidade. Nunca saberão o que é ser humilhado ou acolhido.

Deve haver um balanço entre as janelas neutras e as demais janelas que comentarei; em especial as janelas light, que têm carga emocional saudável e são capazes de promover o altruísmo, a sensibilidade, a ousadia, a criatividade. O futuro de um ser humano e, consequentemente, da sociedade depende desse notável balanço de janelas. Se houver descompassos, as consequências para a formação da personalidade serão sérias. Por exemplo, quando há um número excessivo de janelas neutras e, portanto, um número reduzido de janelas light, as crianças e os adolescentes tornam-se radicais, rígidos, com déficit de solidariedade, prontos para reclamar e com dificuldade para agradecer e para pensar a longo prazo e lutar pelos seus sonhos.

Descompassos como esses ocorrem por pelo menos um dos quatro tipos de falhas que podem acontecer durante processo de formação da personalidade: 1. pais excessivamente críticos dos erros dos filhos, com baixo nível de tolerância; 2. pais que não estimulam seus filhos adequadamente: têm tempo para tudo, menos para eles; 3. pais excessivamente lógicos com seus filhos, que atuam como um manual de regras, destituindo seus filhos de aventuras e afeto; 4. pais superprotetores, que privam seus filhos de liberdade: cair, levantar, lidar com suas crises, se refazer.

A seguir vamos ver os dois grandes grupos de janelas que contêm carga emocional.

Janelas killer: correspondem a todas as áreas da memória que contêm os traumas ou conflitos, como perdas, fobias, rejeições, fracassos, punições. *Killer*, em inglês, significa "assassino". São janelas com grande volume de tensão ou ansiedade. E, por isso, embora não "assassinem" o corpo, bloqueiam o acesso a milhares de outras.

As janelas killer podem ser muito úteis quando desenvolvemos um Eu maduro, capaz de gerenciar a emoção e trabalhar perdas, decepções, erros, crises, vexames. Mas, como o Eu não é adequadamente desenvolvido na educação familiar e escolar, o sofrimento se torna frequentemente prejudicial, traumatiza e não promove a maturidade. Nesse caso, as janelas killer perdem seu papel pedagógico; ao contrário, alicerçam diversos tipos de conflitos na formação da personalidade.

• Síndrome do Circuito Fechado da Memória

Um desses conflitos é, na verdade, uma síndrome perniciosa: a Síndrome do Circuito Fechado da Memória (CIFE), caracterizada pela dificuldade de acesso às informações na memória e, consequentemente, de construir pensamentos com liberdade, serenidade e sabedoria. Tive o privilégio de descobri-la, mas a infelicidade de saber que 100% dos seres humanos, em maior ou menor intensidade, são frequentemente vítimas dela.

Ao sermos criticados, contrariados, ofendidos, estressados, entramos em milésimos de segundo em determinadas janelas killer, cujo volume de ansiedade fecha o circuito da memória, suplantando a liderança do Eu e levando-nos a elevar o tom de voz, a dar respostas atravessadas, a agredir, discutir, acusar e punir e nos punir. Diariamente podemos ver os efeitos dessa síndrome nas pessoas próximas, incluindo as crianças.

Há pelo menos dois tipos de Síndrome do Circuito Fechado da Memória, a Tensional e a Psicoadaptativa. A síndrome CIFE Tensional ocorre quando entramos numa janela killer com grande foco de tensão, como as que contêm fobias, raiva, ciúme, impulsividade. Já a síndrome CIFE Psicoadaptativa ocorre quando entramos num grupo de janelas de menor intensidade tensional, mas que sequestram nossa capacidade de pensar. Nesta última, gravita-se ao redor de um pequeno e estreito grupo de informações que tornam a inteligência superficial e infantil. Há muitas pessoas que parecem livres em casa e no ambiente de trabalho, mas, por dentro, estão encarceradas por um desses dois tipos de síndrome.

Explicando melhor: a síndrome CIFE Tensional asfixia tanto o acesso a milhões de dados da memória que nos leva a cometer os nossos maiores erros nos primeiros trinta segundos de contrariedade. As palavras e atitudes que casais, pais e filhos, professores e alunos, líderes e liderados jamais deveriam expressar um para o outro são produzidas nesses cálidos momentos. Cuidado! Toda vez que perdemos nosso autocontrole somos acometidos por essa síndrome e também fazemos os outros de vítima. Grande parte das violências humanas não é planejada, mas produzida impulsivamente por causa do fechamento do circuito da memória. Que tipo de estímulo estressante o faz perder o controle?

Algumas janelas traumáticas são poderosas e estruturais, chamadas de janelas killer "duplo P", ou seja, duplo poder: o de encarcerar o Eu e o de formar um núcleo traumático. Vivências angustiantes, como ofensas, humilhação pública, vexames, rejeições drásticas geram janelas killer duplo P e se tornam inesquecíveis. Elas são especialistas em promover a Síndrome CIFE Tensional. Algumas são tão poderosas, como um ataque de pânico ou uma traição, que, se mal resolvidas, podem causar fobia social e depressão.

A Síndrome CIFE Tensional também é responsável por produzir os "brancos" nas provas, o gaguejo em situações que exigem falar em público, a dificuldade de expressar ideias. Ela fomenta o *bullying*, o suicídio, o homicídio, a discriminação, as guerras. Ela nos leva a deixar de ser *Homo sapiens*, um indivíduo pensante, e nos torna instintivos, nos faz reagir como animais. Você nunca ficou assombrado com o fato de a história da humanidade ser manchada por falhas e violências? Há muitas respostas políticas, econômicas e sociais, mas todas elas canalizam para essa importante e tão presente síndrome psicológica.

Muitos jovens que se comportam como herdeiros inconsequentes foram vítimas da síndrome CIFE Tensional, ou seja, são controlados por fobias, insegurança, medo de ousar, de se superar. Mas o mais comum é serem acometidos pela síndrome CIFE Psicoadaptativa. Em tese, não são as janelas altamente traumáticas o maior problema dos herdeiros, mas uma quantidade exagerada de janelas killer de baixo poder tensional, formadas pela superproteção dos pais, excesso de críticas ou, no outro extremo, de presentes. Esse *pool* de janelas leva-os ao superficialismo existencial, ao conformismo, ao consumismo, ao imediatismo, a ataques de ciúme, à inveja exacerbada e, em destaque, a ter grande dificuldade de corrigir rotas e planejar a vida.

As eternas discussões entre pais e filhos são produzidas também pela síndrome CIFE Psicoadaptativa. Eles se acostumam ou se psicoadaptam a atritar, acusar um ao outro, disputar quem tem razão. Gastam energia estupidamente.

Janelas light: correspondem a todas as áreas de leitura que têm conteúdo prazeroso, tranquilizador, sereno, lúcido, coerente, como agradecimento, altruísmo, tolerância social, capacidade de recomeçar. As janelas light "iluminam" o Eu, alicerçam a maturidade, a lucidez, a coerência, o *feeling*, o altruísmo, a capacidade de resposta.

Algumas dessas janelas são tão enriquecedoras e estimuladoras do processo de formação da personalidade que se tornam janelas light "duplo P", ou seja, assim como as janelas killer, têm duplo poder, só que positivo; em vez de encarcerar o Eu, o libertam; em vez de formar um núcleo traumático, formam um núcleo saudável, capaz de alicerçar as funções vitais para se ter uma mente saudável e livre. As janelas light duplo P também são inesquecíveis. Representam vivências solenes, como o apoio dos pais quando o mundo desaba sobre seus filhos, a troca do capital das experiências, a superação, as conquistas, o afeto marcante.

Infelizmente, as janelas killer duplo P tendem a ser mais poderosas e influenciadoras do psiquismo humano que as janelas light duplo P, até porque aquelas *são mais frequentes e fáceis de ser formadas*. Notem que o noticiário da TV e dos jornais tende a supervalorizar as mazelas humanas e não os comportamentos assertivos, embora, no tecido social, estatisticamente ocorram dez vezes mais comportamentos generosos que agressivos.

A educação clássica, capitaneada pelos pais e pela escola, tende a maximizar os erros e minimizar as virtudes dos jovens. Por exemplo, a criança pode tomar banho duas vezes ao dia, mas, se deixar de fazê-lo uma única vez, os pais vão recriminá-la – e não a deixarão esquecer. Professores veem seus alunos comportar-se nobremente centenas de vezes e não aproveitam para exaltá-los e plantar janelas light. Mas, uma vez que eles tomem uma atitude reprovável, dão broncas, chamam a atenção, comparam. Onde está a escola da inteligência, que resolve conflitos em sala de aula e promove a formação de mentes brilhantes?

Tenho afirmado que atitudes como essas, tão comuns nos educadores em todo o mundo, indicam claramente que somos uma espécie doente, perito em formar janelas killer e não em plantar janelas light.

Somos saudáveis? Estamos formando jovens saudáveis? O que tais comportamentos ajudam a construir: sucessores ou herdeiros?

É mais fácil errar na educação do que se imagina

Grandes empresários e executivos podem ser dinâmicos, empreendedores e ter refinada capacidade para construir um império com tentáculos em muitas cidades, estados ou até em outros continentes, mas podem não ter dinamismo e habilidade para ocupar espaços no mais complexo de todos os territórios: as emoções de seus filhos. E, portanto, podem não ter êxito em estimulá-los a ser empreendedores e apaixonados pelas conquistas. Além disso, podem não conseguir libertá-los do cárcere da rotina e ser obrigados a assistir indignados a seus filhos se comportando como reis ávidos por ser servidos, querendo cada vez mais produtos e serviços para sentir cada vez menos alegria. Não são poucos os empresários e executivos de sucesso admirados por inúmeras pessoas por seu êxito, mas que mendigam o pão da atenção e do respeito de seus filhos.

Respeitáveis profissionais liberais, professores, jornalistas, funcionários de instituições, celebridades e líderes espirituais podem ter notável capacidade para se reciclar e, como consequência, ter inegável sucesso na área de sua especialidade, mas podem não ter sucesso para se reciclar como educadores, para ser flexíveis, cativantes, inspiradores. E, portanto, às vezes não conseguem encantar seus "pequenos" para torná-los grandes seres humanos, com brilho próprio.

Erros, falhas, incoerências e atitudes inapropriadas que eventualmente os pais cometeram na educação dos filhos não devem ser motivo para desânimo, mas sim de recomeço, de início de uma nova história. Muitos pais precisam revisar sua maneira de ser e pensar, alguns séria e urgentemente.

A construção de uma mente saudável

De acordo com a Teoria da Inteligência Multifocal, a memória pode ser dividida em duas grandes áreas: a ME (Memória Existencial ou inconsciente) e a MUC (Memória de Uso Contínuo ou consciente). A MUC corresponde a algo em torno de 2% de toda a memória que arquivamos desde a aurora da vida fetal. Representa a fonte de informações e experiências que nutrem a construção de cadeias de pensamentos, ideias, imagens mentais e emoções diárias. Enfim, financia nossa capacidade de ver, sentir, reagir. Todos os atritos, as discussões, as agressividades, as atitudes incoerentes e os conflitos vivenciados na relação entre pais e filhos estão presentes nessas duas memórias. Se esses conflitos são recentes ou inesquecíveis, estão na MUC. Se foram reciclados e produzidos há anos, estão na ME.

Permita-me usar a metáfora de uma cidade para que entendamos os bastidores da nossa mente. Não é preciso ter uma cidade perfeita para se ter uma vida razoavelmente digna. Se alguém reciclar na MUC as janelas killer ou traumas – fobias, timidez, angústias, ódio, ciúme, marasmo emocional – e construir plataformas de janelas light ou núcleos saudáveis de habitação do Eu, poderá ter uma existência social, afetiva e profissional digna. Será, portanto, um sucessor. Filhos inteligentes devem ter sempre essa meta.

Essa informação deve ser encarada como uma grande notícia, a notícia das notícias. Isso indica que, nos casos dramáticos, com múltiplas janelas traumáticas duplo P – por exemplo, em que uma pessoa tenha sido estuprada, abusada, sofrido perdas importantes, atravessado os vales da humilhação e os recônditos dos fracassos –, a pessoa, ainda assim, poderá ter uma existência emocional, social e profissional feliz. Como isso é possível? Se reconstruir a parte mais afetada da ME e, em especial, se reconstruir sua MUC.

Se não fosse assim, a existência humana seria injusta, pois somente as crianças e adolescentes privados de estímulos estressantes teriam chance de ser saudáveis e bem-aventurados. Pais e filhos devem saber que a emoção é democrática. Como já comentei, mesmo tendo atravessado cáusticos desertos na infância é possível desenvolver um oásis na MUC.

O psicanalista mais habilidoso e competente não consegue, com a técnica de associação livre, estimular seu paciente a entrar em todos os traumas alojados no inconsciente. E os que são acessados não são apagados, mas reeditados. Nem o psicoterapeuta comportamental ou cognitivista consegue intervir em cada um dos conflitos de seus pacientes. E, quando intervém, não consegue deletá-los, apenas reescrevê-los. A Teoria da Inteligência Multifocal abarca tanto o inconsciente estudado pelos psicanalistas como o consciente estudado pelos terapeutas comportamentais/cognitivos. Estuda ainda fenômenos que ambos não tiveram a oportunidade de estudar, como os inconscientes, que atuam no processo de construção de pensamentos, e os papéis notáveis do Eu como gestor psíquico.

Reafirmo que os segredos de uma educação inteligente, que forma sucessores e não herdeiros, está na capacidade de usar ferramentas e técnicas para "reurbanizar" especialmente a MUC, a menor e mais importante parte da memória. A mente humana é plástica, dinâmica, mutável e, portanto, passível de recomeço, reorganização e reconstrução.

Nunca desista: por mais que erre e tropece, dê sempre uma nova chance a si mesmo. Também nunca desista de seus filhos, por mais que sejam herdeiros relapsos, fragmentados, doentes ou irresponsáveis. Se você investir neles seu capital intelectual e aprender a "dançar a valsa" das relações sociais, sem manter a mente engessada, poderá ter boas surpresas. Quem lhe dá amargas tristezas hoje poderá um dia trazer grandes alegrias. Pais inteligentes riscam de seu dicionário a palavra "desistir".

Lembre-se: só conseguimos construir o futuro se temos coragem de enterrar o passado e nos reinventar! Enterrar o passado não é negá-lo, escondê-lo, excluí-lo, mas trabalhá-lo e reciclá-lo como nutriente vital para enriquecer a ecologia da emoção e alicerçar os papéis do Eu diretor de nossa mente! Somos diretores ou somos dirigidos? Somos sucessores ou herdeiros?

A partir de agora, vamos velejar através das características mais importantes dos herdeiros e dos sucessores.

4

Herdeiros são gastadores de herança, sucessores preservam e enriquecem os bens que receberam

"Há duas maneiras de se fazer uma fogueira: uma com madeira seca e outra com sementes. Os herdeiros preferem a madeira, pois querem resultados rápidos. Já os sucessores preferem as sementes, pois, plantando-as, sabem que terão uma floresta e nunca mais lhes faltará madeira para se aquecer... Você prefere a madeira ou as sementes?"

AUGUSTO CURY

O que é gratuito tem pouco valor

A primeira característica dos milhões de herdeiros de todas as culturas é que são especialistas em gastar o que não ganharam, não laboraram e nem conquistaram. E gastam seus bens sem nenhum peso na consciência: não apenas o dinheiro dos pais, mas bens imensuráveis como a vida, a saúde, o sono, os valores e a cultura. Por receberem tudo gratuitamente, nada valorizam, pelo menos não na medida que seus bens merecem.

O dinheiro na mão dos herdeiros representa um simples papel ou uma senha de cartão de crédito; não representa suor, labuta, preocupações, insônia. Por outro lado, para sucessores, o dinheiro é um dos fenômenos mais complexos já inventados pelo ser humano. Ele parece tão leve, porém tem um peso enorme. Representa tudo: um sanduíche, um carro, uma casa, ações de empresas.

Para os herdeiros, o dinheiro é tão fácil de ganhar como de gastar. Não entendem que o primeiro ato envolve cem vezes mais energia que o segundo. São mentalmente ingênuos. Embora alguns estejam em universidades, até em pós-graduações, vivem numa redoma, não entendem que a sociedade capitalista é um grande deserto e que a miragem da bonança, se não for trabalhada com responsabilidade, um dia se dissipa. Lidar com dinheiro é uma arte da inteligência, não envolve apenas saber fazer cálculos matemáticos, mas pensar nas consequências dos comportamentos, antecipar fatos, prever crises, aplicar com responsabilidade, pensar no futuro (Ferguson, 2009).

Os sucessores sabem que a vida é cíclica, que crises alternam-se com períodos de bonança. Preparam-se não apenas para corrigir erros, mas para preveni-los. Têm consciência de que recursos financeiros, por maiores que sejam, são como névoa: abundantes em alguns momentos e escassos diante das dificuldades que podem se abater sobre uma empresa, uma sociedade, um país. Lembre-se da crise deflagrada nos Estados Unidos em 2007.

Os sucessores aprendem desde a infância a ter humanidade; deveriam aprender também a ser consumidores responsáveis. Mas é surpreendente como os pais não ensinam sistematicamente seus filhos a lidar com dinheiro, a planejar. É espantoso como crianças, adolescentes e jovens adultos dos dias atuais são consumistas.

Conheci de perto muitas histórias chocantes. Histórias de pais que a vida toda atuaram como herdeiros, formando super-herdeiros, ou seja, filhos que agiam de forma inconsequente. Certo pai comprava carros caríssimos para si, a esposa, os filhos, as noras e os genros. Quando iam viajar, levava uma turma de amigos e de amigos dos amigos e pagava toda a conta. Maltratava sua empresa, seu dinheiro, seu patrimônio. Pensava que a fortuna seria eterna. Mas o dinheiro é traiçoeiro, não aceita desaforos. Hoje ama você, amanhã o abandona sem pestanejar. Dez anos depois o milionário caiu do pedestal, vendeu casas, fazendas, carros e perdeu a renda. Ele e os filhos, tomados de perplexidade, sentiam-se completamente derrotados.

Qual é a consequência de histórias como estas? Experimentam-se os terrenos sórdidos da humilhação, registram-se janelas killer duplo P, que, como mencionei, possuem o poder de encarcerar o Eu e de formar um núcleo traumático. Não são poucos os que caem em depressão, desenvolvem fobia social, quase não saem de casa. Descobrem que nunca foram deuses, que a vida é mais complexa do que imaginavam.

Todavia, nem tudo está perdido. Alguns aprendem a ser amigos da humildade, batem a poeira dos pés, retiram a lama da alma e conseguem a duras penas transformar desertos áridos em refrescantes oásis. Tornam-se sucessores admiráveis!

Os herdeiros são as primeiras vítimas do marketing, que, de maneira agressiva, pressiona a venda de produtos que nem sempre são necessários. Os sucessores, quando têm condições financeiras, usam *smartphones*, *tablets*, computadores, mas não os trocam por pura vaidade. Usam seus aparelhos, porém não são usados por eles. Compram boas roupas, mas não são exibicionistas, pois são convictos de que a beleza está no que eles levam dentro, e não fora, de si.

E os herdeiros? Ah... os herdeiros são inseguros e frágeis, dão mais valor às marcas dos produtos do que ao que são. Têm necessidade neurótica de evidência social ou então de se esconder. Desvalorizam sua inteligência, seu potencial intelectual, sua capacidade de impactar pessoas.

Os sucessores foram equipados por seus pais com plataforma de janelas light para saber que possuem o que dinheiro nenhum no mundo pode comprar: tranquilidade, garra, *feeling*, imaginário criativo, experiências, arte de contemplar o belo. É provável que mais de 90% dos pais nunca tenham equipado o psiquismo de seus filhos com esse nobre conhecimento. Um erro terrível. E depois, quando os filhos crescem, querem desesperadamente que invertam seus valores. É possível? Sim! Mas não é fácil frear um "caminhão" que segue ladeira abaixo.

Imbatíveis no começo da vida

Todo ser humano tem em seus genes uma força incrível para sobreviver, superar obstáculos e continuar existindo. Mas essa força está em seu código genético e não em sua memória existencial, nem em sua memória consciente. Só com as experiências de vida vão se formar as janelas light e ocorrerá essa transmissão, que muitas vezes é ineficiente. Por isso muitos não lutam pela vida, ao contrário, vivem asfixiados pelo desânimo.

Para nos auxiliar nessa magna tarefa que é a vida, nossos pais nos transferem milhares de conhecimentos, a escola fornece milhares de dados, depois vêm os livros, a TV, a internet. Todas as informações e experiências são arquivadas por um fenômeno inconsciente, chamado de Registro Automático da Memória (RAM), acelerando o processo de formação da personalidade.

E, nesse ínterim, algo incrível ocorre. À medida que o Eu se forma, desenvolve-se o fenômeno mais complexo (não apenas da mente humana, mas provavelmente de todo o Universo): a consciência. A consciência de que somos diferentes de bilhões de elementos e seres humanos é fascinante. A consciência de nossa história, nossos papéis sociais, nossos sonhos, nossas metas, nossa identidade nos torna exclusivos.

Embora complexa, a "consciência do Eu" dos herdeiros não se desenvolve adequadamente. O Eu infantil, em vez de valorizar a vida como um show imperdível, considera-a efêmera, banal, trivial. Alguns, como comentei, precisam mostrar que têm dinheiro para se sentir importantes. Outros precisam ser notados, sair nas colunas sociais, para se sentir prestigiados. Outros ainda precisam de aplausos para se sentir realizados. A necessidade neurótica de evidência social, de histrionismo, de status é um reflexo da pequenez emocional dos herdeiros. Quem é verdadeiramente grande ou importante o é espontaneamente. Não precisa de exageros.

Vivendo inconsequentemente

Os herdeiros desperdiçam não apenas a herança de seus pais, sua mesada, seus bens, seus veículos, suas empresas, mas também, e de maneira irresponsável, sua própria vida. Andam com carros em altíssima velocidade sem pensar que na próxima esquina poderão ceifar a vida prematuramente ou causar tragédias irreparáveis. Usam drogas sem compreender que elas podem produzir um presídio de segurança máxima, o cárcere da emoção. Nas mais de 20 mil sessões de psicoterapia e consultas psiquiátricas que fiz ao longo da carreira, descobri que todos os que são emocionalmente encarcerados caem em prantos anos mais tarde, arrependem-se drasticamente. Percebem que viveram no limite como se fossem divindades, deuses feitos de névoas.

A cada cinco segundos uma pessoa tem atitudes suicidas na Terra; a cada quarenta segundos alguém consegue tirar sua própria vida. Os que pensam em findar sua vida têm de saber que atuam como herdeiros. Quando alguém tenta o suicídio, a carga genética de cada uma dos trilhões de células do corpo entra em pânico, pois estão programadas para viver, e não para morrer.

Os suicidas precisam estar conscientes de que na realidade não querem matar a existência, mas a dor, as perdas, a angústia, o sentimento de abandono. Como não é possível matar a psique, tentam destruir o corpo. Se atuassem como gestores de sua mente, não seriam punitivos, dariam sempre uma nova chance a si mesmos quando o mundo desabasse sobre eles, quando se atolassem na lama dos fracassos, da decepção, do desânimo e da depressão.

Fico feliz por saber que muitos, ao lerem meus livros, aprenderam a não se curvar ao caos, a proteger sua mente, e me disseram ou me escreveram que nunca mais atentaram contra sua vida, tornaram-se sucessores – mais fortes, determinados, resilientes. Pais e filhos devem saber que, se dermos as costas para os fantasmas da emoção, estes nos dominarão. Enfrente-os e impugne-os no silêncio mental, e se converterão em animais domesticáveis. Você domina os fantasmas de sua emoção ou é dominado por eles?

A humanidade precisa de sucessores que valorizem o maior tesouro que um ser humano pode ter: o tesouro irreproduzível, único, inigualável que é a vida. Um sucessor, mesmo humilhado, rejeitado, criticado, caluniado e alvo de inúmeras derrotas, não desiste de seus sonhos. Mesmo que abandone alguns, constrói outros.

Os sucessores são excelentes para gritar, lutar, não fora de si, mas nos espaços mais íntimos de sua mente, contra tudo o que os controla. E, por terem um Eu combativo e lúcido, reeditam as janelas killer, reconstroem-se a partir das cinzas. Não se tornam marionetes do que os outros pensam e falam deles. São fiéis à sua consciência, pois têm plena certeza de que quem não é fiel à consciência tem um débito impagável consigo mesmo. E você, também é tão preocupado com o que os outros dizem a seu respeito? É fiel à sua consciência?

Os herdeiros precisam de mais do que lágrimas e arrependimentos momentâneos; precisam mudar sua pauta diariamente.

Aqueles que foram frágeis, volúveis e flutuantes, quando constroem uma nova agenda, tornam-se excelentes sucessores. E, mesmo que tenham perdido muito, suas lágrimas passarão a irrigar a sabedoria, suas perdas gerarão grande ganhos.

Conheci muitos herdeiros que faliram irresponsavelmente e viveram relações frustradas por não valorizar minimamente quem amavam, porém aproveitaram uma segunda ou uma terceira chance. Viveram seus melhores dias. Herdeiros que se tornam sucessores são como filhos pródigos para a humanidade: quebraram a cara, foram objeto de vexames, mas brilharam no segundo tempo do jogo da existência. Infelizmente eles são a minoria. Os leitores que atuam como herdeiros devem agarrar essa oportunidade.

Órfãos de pais vivos

Alguns herdeiros cometem um erro surpreendente: enterram seus pais vivos. Claro que não me refiro ao enterro do corpo. Eles enterram o respeito, a admiração, o amor e a experiência de seus pais. Em minha longa carreira na psiquiatria, entendi que uma das dores mais penetrantes que um ser humano pode experimentar é sentir-se "morto", destituído de significado, desvalorizado pelas pessoas que ama. E as ofensas, os xingamentos, o tom de voz exacerbado, tudo isso gera sofrimentos penetrantes, capazes de formar núcleos de janelas killer duplo P, ou seja, experiências traumáticas inesquecíveis, que adoecem as relações.

É vital perguntar aos pais: "O que vocês pensam?"; "Como posso contribuir para torná-los mais felizes?"; "Quais foram seus dias mais tristes, suas maiores aventuras e as lições mais importantes que aprenderam?". Você pode amar seus pais, mas, se não fizer perguntas como essas, estará enterrando a história deles sem perceber. E os pais deveriam agir do mesmo modo com seus filhos.

Os herdeiros ouvem seus pais falarem, mas não os escutam de verdade. Entre escutar e ouvir há uma enorme diferença. Seus pais os alertam e suplicam, mas os ensinamentos não têm impacto. Não se importam com suas preocupações. Consideram-nos atrasados, desatualizados, como se vivessem em outro mundo. Não sabem que emoção e experiências não têm idade nem época.

Há muitos herdeiros que se comportam como órfãos de pais vivos. Infelizmente, apenas quando os pais falecem eles despertam do sono da insensibilidade e percebem que perderam seus amigos mais incríveis, as pessoas que mais os amaram e apostaram neles.

Sucessores valorizam seus pais em vida. Não são filhos perfeitos, em alguns momentos falham e têm atritos. Mas sabem recuar, pedir desculpas e criar um clima de alegria. Há pais teimosos, difíceis, radicais. Os sucessores, no entanto, os condenam menos e abraçam mais. São inteligentes, aprenderam intuitivamente a separar o trigo do joio, captam os aspectos saudáveis da personalidade dos pais e filtram os aspectos doentios. Sucessores inteligentes sabem que, se quiserem viver com pessoas perfeitas, é melhor mudar de planeta.

Muitos dos melhores sucessores tiveram suas fases de herdeiros. Tropeçaram, foram imaturos, arredios, irritantes. Mas, para eles, a educação foi a mãe de todas as ciências. Sua memória não se tornou um solo impermeável. Aprenderam a arte de observar. E, observando os mais experientes, passaram por uma notável mudança. Seu córtex cerebral se transformou num jardim de janelas light.

Vejamos agora cinco características ou consequência das ações de quem é apenas um gastador irresponsável de seus bens:

1. Personalidade ingênua em relação às intempéries da vida, ausência de consciência de que o sucesso é efêmero e os bens não são eternos;
2. Identidade malformada, dificuldade para ouvir e dialogar;
3. Dificuldade de construir relações saudáveis com os pais no presente, e com os filhos, no futuro;
4. Dificuldade de superar as lágrimas e os percalços da existência;
5. Dificuldade de trabalhar os fracassos e usá-los como escada para as conquistas.

Correção de rota dos pais inteligentes: cinco técnicas

Para prevenir o desenvolvimento de herdeiros gastadores de herança, valores, cultura e até da própria vida, os pais devem trabalhar algumas ferramentas fundamentais ao longo da convivência com seus filhos:

Técnica 1 – Ensinar as armadilhas do ritual do consumo

Compra-se por comprar, e não por necessidade. Milhões de pessoas no mundo todo estão endividadas em seus cartões de crédito por causa desse mecanismo inconsciente. Não pensam nas consequências. Passado o momento da compra, são invadidas por um sentimento de culpa.

No passado, apenas os traumas da infância adoeciam; hoje, podemos adoecer de maneira séria e contundente na fase adulta, mesmo quando tivemos uma infância feliz. O consumismo e o mau uso dos cartões de crédito são fontes de adoecimento psíquico. Os pais e as escolas deveriam ensinar as crianças e os jovens a ser consumidores responsáveis.

Pais inteligentes ensinam a seus filhos, desde a mais tenra infância, que a vida é complexa e que sobreviver nas sociedades modernas é uma arte. Pais inteligentes devem comentar com seus filhos que o consumo produz a liberação de substâncias metabólicas cerebrais como a endorfina, que gera intenso prazer e, em alguns casos, estimula a repetição irresponsável do ritual da compra, o que cristaliza a Síndrome do Circuito Fechado da Memória. Você é um consumidor responsável?

Técnica 2 – Ensinar o consumo responsável

Pais e professores inteligentes devem ensinar desde cedo as crianças a ser consumidores responsáveis. Por quê? Porque elas são impiedosamente bombardeadas por um marketing agressivo desde muito cedo, quando ainda não têm condições de discernir. Isso é um crime educacional. Uma boa técnica é dar mesada a elas dos 7 aos 10 anos. Dar mesada, estabelecendo limites para os gastos, é uma forma de treiná-las a gerir bem o dinheiro e sofrer as consequências quando se faz mau uso dele. Ensinar que é difícil ganhar mas facílimo gastar é fundamental. Educadores inteligentes devem dar exemplos de amigos ou de familiares que perderam tudo por pensar que seus bens materiais eram eternos.

Técnica 3 – *Exemplos influenciam mais do que as palavras*

Pais inteligentes sabem que mais do que sua fala, seu exemplo de vida é fundamental. Se você é consumista, não espere que seus filhos não o sejam. Os pais que têm muitos recursos devem saber que o mau uso do dinheiro empobrece a emoção e a criatividade. Parece um paradoxo, mas é uma verdade psicológica. Empresários, executivos, profissionais liberais que se viciam em comprar desenvolvem plataformas de janelas killer que patrocinam insatisfação e estresse crônico.

O resultado? Precisam de muito para sentir migalhas de prazer. Fica empobrecida a capacidade de solidarizar-se, tolerar, tranquilizar a emoção, ter sabor pela existência. Por isso há muitos miseráveis morando em palácios. Não seja um deles.

Técnica 4 – *Transformar dificuldade em oportunidade*

Dificuldades financeiras não são fatores limitadores na formação de sucessores. Se você, pai ou professor, não tem muitos recursos, saiba que a melhor maneira de formar um sucessor é levar os jovens a transformar a escassez em garra, o caos em oportunidade criativa e inspirá-los a ter sonhos e disciplina.

Para formar mentes saudáveis e criativas é preciso pouco dinheiro, mas muita inteligência. Quem não consegue mudar sua maneira de pensar será um educador ineficiente. Fará um desfavor a seus filhos e alunos.

Técnica 5 *– Ensinar a complexidade, a brevidade e a beleza da vida*

Pais inteligentes devem ensinar que a vida é belíssima, mas ao mesmo tempo frágil como as gotas de orvalho que aparecem por instantes e se dissipam aos primeiros raios solares. Está mais do que provado que quem tem plena consciência da fragilidade da vida a valoriza com maior intensidade e a desfruta mais profundamente.

Pais, não se esqueçam de que é sua responsabilidade cuidar da própria qualidade de vida para que seus filhos aprendam a cuidar da deles. Se for irresponsável com sua saúde, não espere que seus filhos façam diferente. Comer bem, praticar exercícios, valorizar o sono, dirigir dentro dos limites da velocidade são exemplos de como cuidar bem da vida. Se você age como um deus imortal, não queira que seus filhos ajam como humanos.

Pais inteligentes devem levar seus filhos para visitar instituições que cuidam dos mais desamparados, como asilos, orfanatos, hospitais, incluindo aqueles que tratam pessoas com câncer. Devem incentivá-los a se preocupar com a dor dos outros. Isso formará no córtex cerebral deles um grupo de janelas light que financiará o altruísmo, o prazer em se doar, e contribuirá para protegê-los contra uma vida inconsequente.

Fiz isso com minhas filhas, embora sempre tenha achado que poderia ter feito mais. Só para dar um exemplo: minha filha do meio, Carolina, quando fez 15 anos, apesar de ter muitas amigas, quis uma comemoração simples, mas me pediu o dinheiro que seria gasto em sua festa. Não entendi o motivo. Semanas antes tínhamos visitado crianças no Hospital do Câncer de Barretos, referência internacional pela gratuidade, altruísmo e tecnologia de ponta que utiliza. Vimos muitas crianças calvas devido ao tratamento. Carolina havia conversado com algumas delas. Envolveu-se muito. Ela não teve dúvidas: pegou o dinheiro que seria gasto em sua festa de 15 anos, foi até o hospital e fez uma doação.

Ao retornar ela me contou que uma das crianças com quem havia brincado tivera uma perna amputada. E completou: "Papai, nunca vi uma criança tão alegre, mesmo amputada". Não preciso dizer que meus olhos se encheram de lágrimas e que seu comportamento me fez sentir o pai mais feliz do mundo...

Por favor, reitero, se quiserem formar filhos, alunos e liderados saudáveis e encantadores, levem-nos a se preocupar com a dor dos outros.

5

Herdeiros vivem à sombra de seus pais, sucessores constroem seu próprio legado

"No início da vida, a proteção e o cuidado dos pais e dos professores são fundamentais para a sobrevivência. Mas, com o passar do tempo, o excesso de 'sombra' impedirá o contato com as intempéries da vida, retraindo o crescimento e a resiliência, impedindo a capacidade de utilizar as ferramentas para trabalhar suas crises, lágrimas, perdas. Os herdeiros se formam à sombra dos seus educadores, enquanto os sucessores são forjados no sol das dificuldades."

AUGUSTO CURY

Estamos formando mentes livres?

Outra característica marcante de um herdeiro é o fato de viver à sombra dos pais. Ter medo de arriscar e fracassar. Ter medo de quebrar a cara e ser humilhado. Não saber que todo vencedor já passou pelo vale dos vexames, todo ícone teve seus dias de fragilidade. Os sucessores, ao contrário, aprendem que não há sucesso sem falhas, aplausos sem vaias. Sabem que depois da tempestade ocorrerá o mais belo amanhecer.

Entre os direitos humanos fundamentais estão o direito à vida, à saúde, à educação. Mas há um direito pouquíssimo comentado e fundamental para a dignidade humana: o direito de construir uma história. Claro, bem ou mal, todo ser humano constrói uma história, mesmo os que vivem na escravidão do medo, nas masmorras da preocupação com sua imagem social ou são vítimas de uma grave timidez. Mas não me refiro a uma história simplesmente arquivada pelo fenômeno RAM. Refiro-me a uma história cujo autor é o Eu, uma história rica em janelas light, produtiva, independente, autoconsciente, com capacidade plena de escolha. Mas a construção desse tipo de história, típica dos sucessores, não é enfatizada sistematicamente numa educação clássica que, infelizmente, acredita que bombardear o córtex cerebral com milhões de dados é suficiente para construí-la. Como comentei na obra *A fascinante construção do Eu*, essa postura é tão ingênua como acreditar que, se colocarmos tinta e pincéis numa máquina, do outro lado sairá uma obra-prima, uma *Mona Lisa*.

No teatro das nações, muito se fala sobre liberar ou não o uso de drogas, em especial a maconha, que tem o tetraidrocanabinol como seu princípio psicoativo. Os discursos aparentemente antagônicos objetivam atenuar o problema. No fundo, uns mais, outros menos, todos estão preocupados com o controle ineficiente do tráfico, a expansão da criminalidade, o poder psicoativo das drogas e a capacidade delas de deflagrar doenças mentais e outros problemas.

Não vou entrar aqui nessa discussão, mas quero dizer que ambos os lados – o dos que defendem a liberação e o dos que são contrários a ela – precisam ser mais profundos intelectual e emocionalmente, pois esquecem o essencial: o direito do Eu, como representante máximo da personalidade humana, de desenvolver as funções mais complexas da inteligência. Quais? A autonomia, a opinião própria, o pensamento crítico, o pensar antes de reagir, o pensamento a médio e longo prazo, a habilidade de proteger a emoção e de filtrar estímulos estressantes. Nossos filhos e alunos estão desenvolvendo essas habilidades? O combate ao tráfico é importante, mas se o Eu dos jovens é maduro, crítico, resiliente e possui um caso de amor com sua qualidade de vida, as drogas não terão significado, mesmo as não químicas, como a necessidade neurótica de poder e de controlar os outros.

Paulo Freire sonhou com uma educação que promovesse a autonomia, mas a questão é: estamos formando um ser humano capaz de ser protagonista de sua história? Estamos promovendo uma educação capaz de disseminar a estabilidade e a profundidade emocional e o encanto pela vida? Como já comentei, precisamos primeiro dar um choque de lucidez na escola clássica mundial, para que ela não apenas transmita a seus alunos milhões de dados sobre o mundo em que estamos, como também sobre o mundo que somos, que é um universo muito maior do que o físico. Caso contrário, formaremos jovens com diplomas nas mãos, mas que não saberão o que fazer com suas crises, calúnias, críticas, fobias, angústias, culpas. Jovens que viverão em sociedades democráticas, mas não serão livres.

Em palestra para membros da ONU e para a Polícia Federal, comentei que é imprescindível reciclar a educação clássica de modo que ela seja eficiente para educar a emoção e desenvolver os papéis do Eu como líder de si mesmo, para formar pensadores altruístas e sucessores inteligentes, capazes de construir com dignidade sua própria história. Caso contrário, os jovens não saberão fazer escolhas e muito menos dirigirão a sua mente; serão dirigidos.

Por exemplo, milhões de garotos e garotas, sem falar em adultos, são regidos pela ditadura da beleza. Torturam-se diante do espelho, maximizando o que consideram defeitos e minimizando suas qualidades. São implacáveis consigo mesmos. Têm uma autoimagem e uma autoestima próximas de zero. São vítimas de um marketing cruel e insano que propaga padrões de beleza tirânicos. Muitos herdeiros são contaminados por esse marketing e, por isso, consomem produtos e serviços de maneira desmedida, como tentativa de compensar o rombo emocional que possuem. Não sabem que cada pessoa é bela porque é um ser humano único. Muito menos sabem que beleza não pode ser vendida, comparada ou comprada; beleza está nos olhos do próprio observador. Como está sua autoestima?

Reitero: há muitas drogas tão destrutivas quanto as mais poderosas drogas químicas, porém fechamos nossos olhos a elas.

Construindo um legado

Sucessores usam o raciocínio complexo para pensar em diversas possibilidades e não apenas em uma opção. Lutam para não ser mentalmente preguiçosos e para não desperdiçar seus talentos. Adquirem, assim, potencial intelectual para resolver conflitos, superar dificuldades, criar oportunidades.

Tenho conhecido muitas pessoas interessantes e intelectualmente notáveis, mas que não têm ânimo, disciplina e coragem para colocar suas ideias "no papel". Incentivei muitas a escrever livros. Mas é incrível como várias delas, embora tenham vontade, são destituídas de disciplina. Parecem paquidérmicas, não conseguem se movimentar, acham tudo difícil.

Contarei um pouco da minha história para mostrar as dificuldades que atravessei nessa área. Ninguém me incentivou a escrever livros, contudo tive muitos "desincentivos". Comecei no início do terceiro ano da faculdade de medicina de São José do Rio Preto. Ficava por horas a fio dentro do diretório acadêmico, numa sala saturada de lixo, de milhares de caixas de remédios, que cheirava mal. Era um estranho no ninho da medicina, pois um médico deveria se preocupar apenas com rins, fígados, corações, mas eu me preocupava com o ser humano, com sua mente, com o território da emoção. Era um rebelde na rotina da faculdade. Por ter desenvolvido a arte de observar e o pensamento crítico, ainda que na época fosse um aluno despreparado, escrevia de maneira diferente sobre assuntos ministrados nas aulas de psiquiatria e psicologia.

Ninguém entendia o estranho aluno que ficava enfiado naquela sala com sua máquina de datilografar. Mas algo me consumia. Eu queria me entender, compreender as angústias que me asfixiavam, saber como penso, por que penso, como gerir minha mente. Ansiava ainda por descobrir os papéis conscientes e inconscientes da memória, o processo de formação do Eu e suas funções fundamentais.

Todo esse processo pouco a pouco me fez desejar algo que parecia impossível: produzir uma nova teoria sobre a construção de pensamentos e formação de pensadores. Sonhava, portanto, em deixar um legado, não para meu orgulho, mas para contribuir de alguma forma com a humanidade. Todo pensador parece um louco, vive fora da curva da normalidade. Eu vivia muito mais.

Terminada a faculdade, tinha mais de quatrocentas páginas escritas. Mas não sabia como publicar um livro. O que fazer? Como encadernar os manuscritos? A quem procurar? Novamente, ninguém me incentivou ou orientou. Fui a uma livraria, li o expediente dos livros, peguei endereço das editoras e não tive dúvida: sem marcar entrevista e sem carta de recomendação, fui atrás delas. Viajei numa tarde fria para São Paulo. Ousado, bati na porta de editoras com um texto debaixo do braço, com o título: *A família moderna, um grupo de estranhos*. Levei portas na cara. Algumas receberam o texto por educação, mas nunca me deram uma chance real.

Sem oportunidade, me especializei, fui exercer minha profissão. Como tinha produzido conhecimento e debatia ideias, logo tive êxito, inclusive na mídia, como consultor científico em um grande jornal. TV, entrevistas e status me seduziram por algum tempo. Era o sonho de muitos, mas não o meu... Os anos se passaram, e percebi que estava traindo meu sonho de produzir uma nova teoria sobre o funcionamento da mente. Reciclei todo o *glamour* social e, para a decepção de muitos, busquei o anonimato. Procurei um ambiente onde atendesse meus pacientes e continuasse escrevendo. Milhares de sessões, inúmeras consultas, o mundo incrível dos pacientes eram matéria-prima de uma acurada observação, interpretação e análise dos dados.

Criticava e reciclava todo conhecimento produzido. Tornei-me o maior crítico de mim mesmo. Vinte e cinco anos transcorreram desde o início dos textos, milhares de páginas escritas. Resumi-las foi difícil. Agora era novamente um simples anônimo procurando editoras sem apoio nem incentivo. O resultado? Rejeição em cima de rejeição. O sabor amargo das negativas levou muitos a sepultar seus sonhos e seu legado. Mas quem vence sem crises vence sem dignidade.

Anos depois, uma editora apostou no projeto. Fiquei feliz por um lado e triste por outro, pois quase ninguém entendeu o que escrevi sobre os fenômenos inconscientes que ocorrem nos bastidores da mente e que em milésimos de segundo leem a memória e produzem o mais incrível fenômeno do Universo: o pensamento – o grande formador da consciência de que somos únicos. Era uma área de estudo nova e complexa. Para me fazer entender, entrei numa árdua jornada. Tive de reciclar minha forma de escrever para democratizar o acesso à teoria que desenvolvia.

Hoje, aquele estudante que vivia fora da curva, que nunca foi incentivado a escrever e não sabia como publicar um livro é lido por 5 a 10 milhões de pessoas todos os anos em todos os continentes. Atualmente, a Teoria da Inteligência Multifocal é usada em diversas universidades. Tenho a felicidade de anunciar que talvez tenha desenvolvido um dos raros programas mundiais, se não o primeiro, para a prevenção de transtornos psíquicos para todos os povos e culturas, chamado de Freemind.[1]

Os sucessores valorizam mais suas raízes que seus louvores. O tempo passou, e o fundamental para mim não são os aplausos e os prêmios que recebi, mas meus alicerces: as lágrimas, as perdas, as decepções, as dificuldades que atravessei, mas em especial a possibilidade de contribuir com a humanidade, essa família tão complexa, porém tão fragmentada e saturada de conflitos.

Meninos com poder nas mãos

Quando resolvemos sair do marasmo, da preguiça mental, da atitude alienada, não há como não fazer sacrifícios. Mas nada é tão compensador quanto isso. Há muitos gênios que morrem com sua genialidade. Há muitos jovens e adultos capazes, cultos, espertos, com raciocínio brilhante, mas que não produzem nada de grandioso. Enterram suas habilidades e asfixiam seus sonhos em sua ansiedade por resultados imediatos. Quem quer deixar um legado, ainda que seja para sua família, seus amigos, sua empresa ou sua sociedade, tem de abandonar seu projeto egoísta e pensar no outro.

---

1. O Freemind foi lançado recentemente nos Estados Unidos e recebido com grande entusiasmo. Esse programa é constituído de doze ferramentas universais, como gerenciamento de pensamentos, proteção à emoção, mesa-redonda do Eu, reedição das janelas traumáticas. Renunciei aos direitos autorais desse programa para que qualquer instituição possa fazer *download* gratuitamente e sem limite. É só acessar o site www.augustocury.com.br. [N. A.]

Muitos políticos, em todas as nações, são meninos com o poder nas mãos. Têm a necessidade neurótica de evidência social e de vencer as eleições para satisfazer sua vaidade. Alguns "vendem" sua alma, se corrompem, para se perpetuar no poder. Deixarão um legado egocêntrico e medíocre e ainda acham que a história os julgará com benevolência. Defendem com unhas e dentes seus pares, sua ideologia, sua hegemonia. Colocam em último lugar a humanidade. São herdeiros, "destruidores" de sua nação, vivem à sombra de seu partido. Se os políticos tivessem um caso de amor com sua sociedade e com a humanidade exerceriam o poder como projeto social e não pessoal, pensariam a médio e longo prazo e se tornariam líderes que formam sucessores.

Quem quer o topo das montanhas tem de fazer escaladas arriscadas. Quem quer ser um grande líder na sua empresa precisa saber que, se por um lado os profissionais são substituíveis, os seres humanos não o são; devem, portanto, ter seus funcionários como colaboradores, cumprimentá-los com prazer, sem fazer distinção. Também precisam provocar a inteligência deles com maturidade, para que deem o melhor de si.

Quem quer conquistar a admiração de seus íntimos tem de se fazer pequeno, dizer palavras nunca ditas, para surpreendê-los e encantá-los. Pais e professores que queiram formar mentes brilhantes devem agradecer seus pupilos por existirem, devem cruzar sua história com a deles, falar de seus dramas para que eles aprendam a trabalhar suas crises, falar de suas derrotas para que eles adquiram habilidades para lidar com seus fracassos.

Se sonhamos em formar sucessores que sejam pensadores, e não herdeiros que sejam repetidores de dados, temos de repensar nossa educação. Educação que apenas transmite informação forma pessoas emocionalmente imaturas; educação que transmite experiências forma personalidades maduras. Mas onde estão os pais que transmitem o capital das suas experiências? Onde estão os professores que não têm medo de falar das crises que atravessaram?

"Trabalho" infantil: assassinato da infância

Estamos assistindo impassíveis ao assassinato coletivo da infância em todo o mundo. Atolamos nossos filhos com excesso de brinquedos, *games*, *smartphones*, atividades, sem perceber que estamos gerando um "trabalho" intelectual escravo.

Todos somos contra o trabalho infantil, mas não ficamos perplexos com o "trabalho" intelectual escravo das crianças. Os pais até acham bonito colocar seus filhos em mil atividades. Gabam-se de que eles parecem gênios, dão respostas rápidas, sabem mexer com maestria em computadores, mas depois, na adolescência, o gênio desaparece... Tornam-se inibidos socialmente, tímidos diante de situações novas, sem grandes sonhos ou uma identidade definida, não sabem ouvir negativas, não obedecem a regras sociais, são pouco resilientes e têm baixo nível de solidariedade. A educação clássica está doente, formando pessoas doentes para uma sociedade doente. Não é sem razão que 27% dos jovens brasileiros apresentam sintomas de depressão. Também não é sem motivo que a Universidade de Michigan aponta que uma a cada duas pessoas – ou mais de 3 bilhões – cedo ou tarde desenvolverá um transtorno psiquiátrico.

O direito fundamental a uma personalidade rica, produtiva, livre e criativa é rasgado ao meio, dilacerado, asfixiado. Tornamo-nos especialistas em formar herdeiros, e não sucessores.

O que fazer? Tornarmo-nos protagonistas dessa fábrica de jovens estressados ou reciclarmos nossa história? Assistirmos como espectadores passivos ao adoecimento de nossos filhos e alunos ou passarmos a aplicar ferramentas para contribuir para a formação de mentes livres e emoções saudáveis? Espero que este livro nos leve a repensar nossos papéis como pai, mãe, filho, educador, aluno, executivo, liderado.

Vejamos cinco características ou consequências enfrentadas por quem vive à sombra dos pais:

1. Dificuldade de ser gestor da sua mente e construir seu próprio legado;
2. Retração das habilidades intelectuais e financiamento do marasmo intelectual;
3. Preocupação neurótica com a imagem social, com o que os outros pensam e falam de você; sequestro da liberdade social;
4. Medo de andar por ares nunca antes respirados; medo neurótico de errar e de dar vexame;
5. Dificuldade de lidar com perdas e frustrações.

Correção de rota dos pais inteligentes: cinco técnicas

Para prevenir a formação de herdeiros que vivem à sombra dos pais e contribuir para a formação de sucessores que constroem seu próprio legado, é fundamental trabalhar estas ferramentas:

***Técnica 1** – Não seja um manual de regras*

Educadores inteligentes não devem funcionar apenas como um entediante manual de regras de comportamento, ética ou apontamento de falhas e correção de erros. Se assim o fizerem, estarão aptos a lidar com máquinas e consertá-las, mas não a formar pensadores. Pais inteligentes atuam como brilhantes mestres da vida para formar mentes livres e saudáveis.

***Técnica 2** – Nutra a personalidade deles com a sua história*

Educadores brilhantes devem "rasgar" o coração emocional para os filhos em longas e contínuas conversas no decorrer da vida. Deixá-los penetrar nas camadas mais profundas de sua mente. Devem encantá-los com a melhor das histórias: a sua própria, com todos os seus fracassos e sucessos, sonhos e pesadelos, aventuras e tédio. É imprescindível para formar a personalidade dos filhos que os pais falem de si mesmos e não deem apenas presentes e regras. Mesmo um pai alcoólatra pode ensinar a seus filhos sobre suas dores, seus dramas, seus vícios. E assim usar seus capítulos mais difíceis como pedagógicos.

Educadores inteligentes deixam seus filhos e alunos conhecer as dificuldades e perdas que enfrentaram para chegar aonde estão. Essa é uma das mais excelentes técnicas para ensiná-los que ninguém é digno do pódio se não utilizar os percalços para conquistá-lo. Claro, talvez devamos guardar alguns segredos, mas estes deveriam ser mínimos. Infelizmente, mesmo pais com excelente nível acadêmico falham frequentemente nessa empreitada.

Não apenas os filhos, como vimos, "enterram" seus pais vivos; muitos pais fazem o mesmo com seus filhos. A indiferença, a morte do diálogo e, principalmente, a incapacidade de nutrir o psiquismo deles com suas experiências são os responsáveis por esse lapso. É incrível que, em todas as nações modernas, os filhos conheçam as broncas dos pais, suas críticas, suas manias, mas não os conheçam profundamente nem se deixem conhecer. Você se deixa conhecer?

Seria desejável que, pelo menos uma vez por semana, a TV fosse desligada à noite, ainda que apenas por uma ou duas horas. Motivo? Estabelecer diálogos entre pais e filhos para a construção de pontes. Sem pontes, todos ficam ilhados. Há estatísticas que demonstram que 50% dos pais nunca conversaram com seus filhos sobre seus medos, pesadelos, dificuldades. Uma perda irreparável. A família se tornou um grupo de estranhos.

Técnica 3 – *Não superproteja*

Pais inteligentes não devem superproteger seus filhos, criando-os em uma redoma. Pais que satisfazem todos os desejos dos filhos, que não suportam pressão nem birras, que cedem com facilidade formam filhos frágeis, incapazes de lidar com as frustrações, crises e perdas que estão sofrendo – e que sofrerão no futuro.

Quando seus filhos caírem, não seja frio: abrace-os, mas ensine que a vida tem muitas quedas. Quando sofrerem perdas, dê o ombro para que chorem, mas mostre que crises são etapas da vida. A dor bem trabalhada nos torna mais fortes emocionalmente.

Técnica 4 – *Proteja a emoção do agredido*

Pais inteligentes, quando seus filhos sofrerem *bullying*, forem ofendidos, desprezados e alvo de apelidos pejorativos, procurem resolver a causa do estresse no ambiente em que a agressão ocorreu. Devem abraçá-los e apoiá-los, mas não tratá-los como meras vítimas indefesas. Os educadores que fazem a diferença devem aproveitar a oportunidade para fortalecer seus filhos/alunos, exaltar sua força e capacidade de superação. Proteger e fortalecer o agredido é tão importante quanto prevenir o agressor, mas infelizmente a grande maioria dos pais e professores não faz isso.

Preparar os jovens para competições, desafios e agressões da vida é primordial. Não os crie num casulo. Leve-os a não gravitar na órbita do *bullying* nem da do ofensor, seja ele um indivíduo ou um grupo. Equipe seus filhos e alunos para que entendam que a saúde emocional vale ouro e que não devem vendê-la por um preço banal.

Técnica 5 – *Ensine o valor da liberdade e negocie os limites*

Pais inteligentes devem negociar com os filhos seus momentos de prazer e de responsabilidade. Estudar e desfrutar devem ser dois pesos numa balança equilibrada. Não deixe seus filhos ficar plugados na TV, jogando *videogames* o dia todo e navegando na internet até de madrugada. Isso é um crime educacional que cobrará seu preço mais tarde.

Negocie seriamente o tempo de lazer. Crianças, adolescentes e até mesmo adultos não deveriam ficar utilizando celular até o último minuto antes de dormir, tampouco dormir ao lado dos aparelhos. As ondas das telas alteram determinadas substâncias cerebrais e dificultam o sono. E o sono é o motor da vida. Duas horas antes de dormir, seria bom desligar o celular. Além disso, *videogames* que induzem à violência deveriam ser repensados ou jogados com moderação.

Em troca dos horários de lazer, as crianças e adolescentes deveriam dar contrapartidas, como ajudar a arrumar o quarto, tirar da mesa o copo e o prato que usaram ou fazer determinadas tarefas para contribuir para o bom funcionamento da família. Na vida, há sempre contrapartidas. Quem não aprender a servir se tornará um rei e fará dos pais seus meros súditos. Entretanto, quando cair na vida, será destronado! Cairá do céu para a Terra.

6

Herdeiros são especialistas em reclamar, sucessores são peritos em agradecer

"Todas as coisas que o dinheiro compra são baratas, todas as que ele não consegue comprar são verdadeiramente caras, e entre estas a gratidão é uma das mais preciosas... Um ser humano só se torna verdadeiramente grande se for capaz de ser grato e de conquistar o invendável. Desse modo abandonará o supérfluo e encontrará o essencial!"

AUGUSTO CURY

Quem não conhece a arte da gratidão entorpece sua emoção

A gratidão é uma das funções mais complexas da inteligência. Ela representa uma dívida na indescritível moeda emocional, uma contrapartida afetiva, laços inesquecíveis. Fundamental nas relações humanas, a gratidão é praticamente inexistente em outros animais à medida que se tornam adultos e independentes. Os filhotes se desenvolvem, seguem seu destino instintivo, e muitos partem para nunca mais voltar. É o ciclo da vida.

Os computadores, ainda que sejam robôs humanoides feitos à nossa semelhança, possuam inteligência artificial e uma memória inúmeras vezes mais potente que a de um cérebro, jamais agradecerão ao seu criador, operador ou mantenedor. Agradecimento não é um fenômeno apenas lógico, racional, linear; depende de experiências emocionais, expressa uma capacidade de curvar-se ao outro em afeto, um apego carinhoso, um sentimento único a que chamamos de amor.

Um sucessor sabe que ninguém constrói um legado puro, próprio, independente. Tem consciência de que ninguém faz exclusivamente voos solos em sua trajetória como ser humano e como profissional. Reconhece, sem ser preso pela culpa e sem abalar sua liberdade, que todos contraímos dívidas afetivas. Tem prazer em saldar essas dívidas, dizendo frequentemente "muito obrigado", "conte comigo". Torna-se um vendedor de afeto, um doador, um apóstolo do altruísmo.

Muitos herdeiros, ao contrário, frequentemente têm o déficit de gratidão como uma das características mais tristes e marcantes. Não distribuem sorrisos, não estendem as mãos, não se curvam em afeto. Para eles, seus pais não fazem mais que a obrigação ao servi-los. "Eles me puseram no mundo", pensam eles; "Não pedi para nascer", dizem; "Agora que me aguentem". Nem sabem que, mesmo sem ter pedido para nascer, lutaram com milhões de concorrentes pelo direito de fecundar o óvulo. Ter filhos pode ser ou não uma opção dos pais, mas existir foi uma decisão instintiva de cada ser vivo.

Crianças que foram abandonadas, perderam os pais ou que são fruto de um estupro não deveriam se posicionar como vítimas infelizes do mundo, mas encarar a vida numa perspectiva ousada e vencedora. Parece um absurdo, mas essa é uma das maiores verdades científicas. O "coitadismo", a autopiedade, o sentimento de pena de si mesmo, o autoabandono são bombas contra a autoestima. E sem autoestima abortamos a criatividade, o prazer de viver e a coragem para reescrever nossa história...

Em muitas espécies, um animal com 3 anos já reproduziu e é considerado maduro. Na espécie humana, um bebê de 3 anos simplesmente não consegue sobreviver sozinho. Com 7 é completamente imaturo, com 15 é ainda muito inexperiente. A palavra-chave da nossa espécie é "dependência". Por que somos tão dependentes com uma idade em que muitos animais já são idosos? Porque, para formar a personalidade humana, precisamos de milhões de experiências transferidas, construídas, elaboradas nas relações entre pais e filhos, entre irmãos, entre professores e alunos, entre colegas etc. A independência é importante, representa nossa individualidade. Mas individualidade é diferente de individualismo. A individualidade é o alicerce da identidade, enquanto o individualismo é o pilar de uma personalidade doente, despreparada e que só pensa em si.

Muitos jovens querem ser independentes muito cedo. São individualistas e, como tais, incoerentes. Não querem que ninguém "meta o bedelho" em sua história, aborrecem-se com quem ousa interferir em sua liberdade, mas não abrem mão do dinheiro dos pais, de roupas lavadas e refeições à mesa. Parecem livres e aptos a tocar sua vida, mas, quando são criticados ou fracassam, desabam. Não têm alicerces para suportar as avalanches da existência. Jean-Paul Sartre sonhava que o ser humano fosse dono do próprio destino, mas, sem aprender a trabalhar perdas e frustrações, ele se torna refém dos seus conflitos.

Filhos que se comportam como herdeiros não são gratos aos pais, não têm uma compreensão filosófica da existência profunda nem uma percepção complexa da vida. Para eles, a vida é uma via de mão única: são ótimos para receber, mas péssimos para dar retorno. Não poucos negam até afeto a seus pais. Imaturos, desconhecem que uma identidade estruturada tem a gratidão como um de seus pilares. A gratidão é uma fonte de construção de núcleos saudáveis de habitação do Eu no córtex cerebral. Ela é fundamental em todas as áreas, inclusive na profissional. Colaboradores gratos fazem toda a diferença para uma empresa ser saudável ou não. E a gratidão de uma empresa para com seus colaboradores faz toda a diferença para que ela seja viável e sustentável a longo prazo.

Professores que expressam gratidão aos alunos, por terem o privilégio de ensiná-los, excitam o fenômeno RAM a arquivar janelas light, que expandem os níveis de concentração. Alunos gratos à escola e aos seus mestres por ensiná-los promovem em si mesmos o processo de formação de mentes brilhantes. Muitas escolas são tecnicamente saudáveis mas psicologicamente doentes, pois não criam uma cultura emocional, não cultivam o altruísmo, a generosidade, a solidariedade, a empatia.

O Eu pode e deve se reinventar

Temos tendência a encontrar culpados para nossos tropeços, lapsos, insucessos, conflitos ou até para nossa falta de atitude. Desde os primórdios da civilização humana culpamos pais, chefes, mestres, a sociedade, o ambiente e até Deus. Ainda que fenômenos externos tenham contribuído para nossos comportamentos, ninguém é mais responsável por eles do que nós mesmos. Quando crianças podíamos não ter capacidade de decidir; quando adultos, abrir mão dessa capacidade é amordaçar o Eu na masmorra da alienação.

Não escolhemos nossos pais, mas podemos escolher amá-los e honrá-los apesar de seus defeitos. Não escolhemos nossa nação, mas podemos escolher torná-la mais justa e solidária. Não escolhemos o meio ambiente, mas podemos escolher torná-lo mais sustentável. Não escolhemos o início de nossa educação escolar, mas é possível escolher usar as informações como fonte da arte de pensar. Não escolhemos o passado, mas podemos escolher o futuro. De acordo com a Teoria da Inteligência Multifocal, na qual estudo detalhadamente os papéis fundamentais do Eu, em qualquer momento podemos construir uma nova agenda, deixar de ser espectadores para ser protagonistas da nossa história.

Nosso Eu, que representa a capacidade de escolha, pode e deve se reinventar. Essa é uma das mais importantes características dos sucessores. Quem se reinventa reclama pouco e age muito. Quem se reinventa atribui menos carga aos outros e assume mais as responsabilidades. Quem se reinventa usa muito menos as mãos para punir e muito mais o cérebro para se superar.

Os herdeiros, ao contrário, anestesiam os papéis nobres do Eu. Quem não se reinventa não revê o que é, onde está, nem aonde quer chegar. Quem não se reinventa é um barco sem leme, sem bússola. É empurrado pela vida, e não o condutor dela. Filhos que culpam os pais por seu próprio vício em drogas, pelos fracassos profissionais e pelas mazelas da emoção retiram seu Eu da posição de piloto da aeronave mental e colocam-no como um passivo passageiro. Você pilota sua mente ou é pilotado por ela?

Sucessores sabem que o destino frequentemente não é inevitável, e sim uma questão de escolhas. Herdeiros acreditam que o destino não é responsabilidade deles. Sucessores constroem seus caminhos. Herdeiros escondem-se atrás da débil crença na sorte e no azar. Não sabem que sorte é o casamento da oportunidade com a capacidade de agir. Não sabem que a sorte acorda às 6 da manhã.

Sucessores sabem que todas as escolhas implicam perdas. Têm consciência de que, para alcançar os patamares mais nobres da saúde emocional e da excelência profissional, têm de abandonar seu conformismo. Os herdeiros creem que suas escolhas só trazem ganhos. Desconhecem que, para conquistar pessoas, têm de perder sua arrogância e seus pré-julgamentos, têm de reciclar sua autossuficiência e o medo de cair no ridículo; para conquistar habilidades profissionais e sociais, têm de remover sua preguiça mental e sua alienação. Perder nos torna mais leves. Quem não aprender a perder nunca sairá da masmorra da mesmice. E milhões, mesmo sem terem consciência, estão encarcerados. Estamos entre eles?

Sucessores exaltam o que têm e estabelecem metas

Sucessores aproveitam a *expertise* dos pais. Sabem que cedo ou tarde precisarão da mais poderosa das ferramentas para amadurecer: o conhecimento e doses elevadas de experiência de seus mestres. Já os herdeiros valorizam os bens de seus pais, mas não sua experiência. Para eles, os pais devem atender a suas necessidades, mas não irrigar sua sabedoria.

Sucessores sabem que seus pais sofreram, se desgastaram e não poucas vezes se angustiaram para chegar aonde estão. Herdeiros, ao contrário, não são empáticos, não se colocam no lugar dos outros, veem o mundo apenas com seus próprios olhos. Sucessores dialogam profunda e prolongadamente com os pais. Saem da superfície da relação e perguntam frequentemente a eles: "Quais foram seus dias mais tristes e como os suportaram e os superaram?"; "Em que momentos avançaram e em que períodos recuaram?"; "Que sonhos foram cumpridos e que projetos foram enterrados?"; "Quais são as lições de vida mais importantes que aprenderam?". Considerando esses parâmetros, você é um sucessor ou um herdeiro?

Em minha família, somos seis filhos. Apesar da escassez de tempo, provavelmente sou o filho que mais penetra as camadas profundas da história dos meus pais, o que mais se encanta, se diverte e aprende com a história deles, embora em nossa infância meu pai tenha sido uma pessoa com baixa capacidade de suportar contrariedades: era impaciente, austero, impulsivo e excessivamente crítico. Apesar disso, aprendi a ser muito grato a ele.

Eu conquistei meu pai. Penso que sou a pessoa com quem mais dialoga e se abre. Também aprendi, como psiquiatra e pesquisador desse incrível mundo chamado psique humana, que "toda mente é um cofre: não há mentes impenetráveis, mas chaves erradas". Usar a chave correta é o segredo. Elogie e exalte mais do que critique. Não tente mudar pessoas resistentes. Mude-se. A conta emocional sai muito mais barata.

Sabemos se uma família é saudável, bem resolvida e feliz não pela ausência plena de atritos, algo impossível, mas pela presença de gratidão, respeito, consideração e diálogo. Como é o seu nível de gratidão? Sucessores sabem que seus pais, por mais conflitos que tenham, deixaram de sonhar para que eles sonhassem, tiveram noites de insônia para que eles dormissem bem. Temos essa consciência?

Herdeiros, ao contrário, não se importam se seus pais tiveram insônia, adiaram sonhos, deixaram de comer para que eles se alimentassem. São especialistas em ver os defeitos deles e não as qualidades. Muitos filhos dizem que se importam com os pais, mas são desmentidos por seu comportamento indiferente.

Sucessores veem o mundo não apenas de sua perspectiva, mas também da perspectiva dos outros, enquanto herdeiros se recusam a ver o mundo sob o ângulo de quem cuidou deles e financiou sua sobrevivência. Freud descreveu o princípio do prazer como mola propulsora da formação da personalidade. Mas os herdeiros, dilacerando esse princípio, desconhecem que toda pessoa egocêntrica, individualista e egoísta é emocionalmente insatisfeita – e, além disso, desenvolve baixo limiar para suportar os estresses existenciais.

Sucessores exaltam o que têm em detrimento do que querem alcançar, enquanto herdeiros são especialistas em reclamar do que não têm. Quem exalta o que não tem e minimiza o que tem empobrece sua emoção, torna-se um "mendigo" que perambula pelas empresas, escritórios, ainda que use roupas de marca e tenha uma invejável conta bancária.

Agora vamos às cinco características ou consequências de ser um especialista em reclamar e ter déficit de gratidão:

1. Dificuldade de traçar metas, fazer escolhas, assumir perdas e ser bem resolvido;
2. Baixo limiar para suportar estímulos estressantes: fragilidade psíquica exacerbada;
3. Tendência a culpar os outros pelas mazelas e não usar os papéis do Eu para pôr em prática estratégias para se superar;
4. Comportamento arrogante, autossuficiente, individualista e egoísta;
5. Ser emocionalmente infeliz, instável, mal-humorado, ainda que financeiramente rico.

Correção de rota dos pais inteligentes: cinco técnicas

Para prevenir transtornos de personalidade dos filhos especialistas em reclamar e que desconhecem a arte da gratidão, algumas ferramentas são fundamentais:

***Técnica 1** – Pratique a arte da gratidão*

Pais inteligentes devem ser os primeiros a praticar a arte da gratidão para criar filhos gratos. Devem ser carismáticos, agradecer a seus próprios pais na frente dos filhos, agradecer ao frentista do posto, ao policial que faz a ronda, ao zelador do prédio, ao garçom que serve, aos colegas de trabalho. Não peça que seus filhos sejam gratos; plante a gratidão neles, arquive janelas light, no centro da consciência deles.

Muitos intelectuais, executivos e profissionais liberais de sucesso são reservados, enclausurados em si, raramente distribuem sorrisos e cumprimentos. São tolerados, mas não admirados. Esquecem-se de que a vida é uma brincadeira no tempo e que em breve irão para a solidão de um túmulo como qualquer mortal. Não refletem que ninguém leva status, poder, autoridade, dinheiro. Não se abrem para outras possibilidades.

Se você é fechado e sisudo, não espere que seu filho seja uma pessoa aberta e relaxada. Se você é antipático, não espere que ele seja simpático. Se você é pessimista e ingrato, não espere que seu filho seja otimista e generoso. Ele pode até sê-lo, mas o será apesar de sua influência contraproducente.

***Técnica 2** – Agradeça a seus filhos e alunos por existirem*

Pais e filhos inteligentes devem agradecer um ao outro rotineiramente. Se não o fizerem, terão uma relação paupérrima. Do mesmo modo, casais que não souberem agradecer um ao outro, mesmo com ótima formação ou muito dinheiro no banco, terão um romance infeliz.

Pais e casais infelizes são distribuidores de críticas. Pais e casais inteligentes distribuem agradecimentos em abundância: "Filho, muito obrigado por existir"; "Muito obrigado por alegrar minha emoção", "Muito obrigado por fazer parte da minha história". Parece tão simples, mas agradecer aos filhos pela existência deles é melhor que dar o carro mais caro do mundo, o aparelho mais sofisticado, a joia com o mais reluzente diamante. Você sabe dar esse tipo de presente?

Filhos precisam se sentir amados desde bebês. Têm de saber que são insubstituíveis e inesquecíveis, sejam seus pais milionários ou paupérrimos. É quase inacreditável, mas a imensa maioria dos pais, dos mais diversos povos e culturas, falha nesse quesito fundamental de formação da personalidade dos filhos. Conversam muito com eles quando estes não sabem falar, mas se calam quando aprendem a se comunicar. Um paradoxo inaceitável.

Atenção, conversas inteligentes e, em destaque, o agradecimento aos filhos por seu comportamento, somados à aplicação das demais técnicas aqui propostas, fazem que a imagem dos pais seja arquivada de forma plena na memória dos filhos, gerando experiências inesquecíveis – janelas light especiais, duplo P, que têm o poder de formar funções complexas da inteligência, como altruísmo, autoestima, sentimento de proteção e apoio.

Por favor, grave bem esse fenômeno. Se os pais precisam elevar o tom de voz para ser ouvidos, como é comum, algo está errado. Eles são pequenos diante dos filhos. Se pais e professores forem eficientes em desenhar uma boa imagem para seus filhos ou alunos, palavras brandas terão impacto, um olhar produzirá mudanças de rota. Você precisa elevar a voz para ser ouvido? Precisa pressionar e dar sermões? Devemos prestar mais atenção, pois nosso tom e nossas palavras nos denunciam.

Técnica 3 – Seja tolerante

Pais inteligentes não podem ser excessivamente críticos. Se assim agirem tolherão a liberdade, contrairão a leveza da vida, bloquearão aprendizados. Infelizmente, pais que são especialistas em reprovar seus filhos não devem esperar que estes sejam tolerantes com erros dos outros, inclusive com os dos próprios pais. Quem planta janelas killer tem grandes chances de colher janelas traumáticas. Devido à atuação rápida e inconsciente do fenômeno RAM, a ação gera reação educacional.

Pais impulsivos têm grande chance de produzir plataformas de janelas que financiarão a impulsividade e a impaciência. Pais tímidos, sem que percebam, expressam comportamentos ao longo da formação da personalidade dos seus filhos que financiam a insegurança, o medo de errar e da crítica social. Contudo, se você tem errado, não se desespere. O psiquismo não é cartesiano, não é lógico nem linear. Pais ansiosos, irritadiços, fóbicos, impulsivos podem gerar filhos profundamente saudáveis, mas, para isso, devem aprender a administrar seu comportamento na frente deles. E, ao errar, devem pedir desculpas. Além disso, devem usar todas as demais técnicas deste livro. Nada é imutável na psique humana.

Técnica 4 – Abandone o vício de reclamar

Pais inteligentes não ficam reclamando do governo, do salário, do trabalho, das dificuldades da vida. Não apenas drogas causam dependência, mas também a arte de reclamar. Quem reclama muito desenvolve a síndrome CIFE psicoadaptativa; atola-se na lama do pessimismo, da desesperança, da angústia; não enxerga alternativas para superar barreiras; empobrece, ainda que seja um milionário.

Técnica 5 – Seja equilibrado

Pais inteligentes são ponderados em suas críticas e observações sobre o comportamento dos outros. Têm boa capacidade de suportar contrariedades e não reclamam excessivamente de pessoas: são dosados. Veja bem, não estou dizendo que devemos ser ingênuos, abrir mão do pensamento crítico. O que quero dizer é que as pessoas que só veem o lado ruim das outras, que são especialistas em denunciar e ávidas em criticar são mal resolvidas. Uma das formas mais penetrantes de empobrecer o potencial intelectual dos filhos é reclamar ou falar mal de tudo e de todos na frente deles.

Entre os muitos pais com essa característica doentia que conheci, havia um engenheiro que diariamente chamava as pessoas de crápulas, dizia "fulano de tal não presta", "beltrano é um traíra", "sicrano é um incompetente". O resultado? Comprometeu seriamente a formação da personalidade de seus quatro filhos. Três deles tiveram uma personalidade mórbida, pessimista, intolerante, instável, desanimada. Além disso, por gastarem muito tempo criticando os defeitos dos outros, não corrigiram os próprios. Eram lentos, sem garra para trabalhar, sem habilidade para vender bem sua imagem e influenciar pessoas. Só um filho escapou dessa armadilha.

Não apenas como psiquiatra e pesquisador da psicologia, mas também como ser humano, não gosto de ouvir pessoas falar mal das outras. Quando meus irmãos, colegas e amigos criticam o comportamento dos outros, eu sempre reajo, eles sabem disso. Pergunto: "E o outro lado? O que está por trás da cortina do comportamento para se ter tais reações? O que os motiva? Em seu lugar, faríamos diferente?". Sem fazer essas perguntas básicas e tentar respondê-las, não temos base para diminuir, denegrir ou criticar ninguém.

Achamos que é difícil formar filhos ousados, empreendedores, bem-humorados, carismáticos, criativos, que saibam encantar as pessoas, enfim, sucessores, porque não percebemos que nós é que somos os maiores obstáculos.

7

Herdeiros são manipuladores, sucessores são conquistadores

"Quem não é capaz de mapear suas mazelas e ser transparente tem uma dívida impagável com sua consciência. Leva seus conflitos para o túmulo. É melhor a verdade dolorida do que a mentira com anestesia."

AUGUSTO CURY

Táticas emocionais para manipular os pais

Herdeiros são especialistas em pressionar seus pais ou responsáveis para obter o que desejam. Amam levar vantagem. É surpreendente que não apenas os adolescentes, mas também as crianças aprendem a manipular seus pais para conseguir seus objetivos.

Quais são as táticas? São poderosas, objetivam fisgar a emoção de seus pais ou responsáveis para que sintam dó ou peso na consciência e, assim, cedam. Algumas frases apelativas diante de um pai ou de uma mãe resistentes são mundialmente famosas: "Você não me ama!"; "Você não me dá valor!". Essas frases atingem a artéria central da emoção de muitos pais, que, abalados, cedem à manipulação.

Nesta sociedade consumista que bombardeia o psiquismo da juventude com necessidades desnecessárias, os filhos aprendem a jogar pesado e causam grandes transtornos tanto para a formação da própria personalidade como para a estabilidade e a saúde das relações sociais. "Você não me ama, por isso não me dá um celular novo, um novo *videogame*, um novo tênis ou uma nova roupa." Os apelos manipulativos são muitos, e alguns são criativos: "Todos meus amigos têm, menos eu...". O tom de voz é incisivo, não dando margem para dúvidas. Nem todos os seus colegas possuem o que desejam, mas basta que alguns tenham algo para que deem asas aos seus clamores.

Os filhos que se comportam como herdeiros sabem que seus pais os amam, mas, insensíveis, usam de chantagem para obter seus objetivos. Até certo ponto, essa manipulação é uma etapa esperada e aceitável na formação da personalidade, o problema é a continuidade desse processo e o desenvolvimento da Síndrome do Circuito Fechado da Memória, capitaneada pelo mecanismo de recompensa imediata. A memória fica viciada, abrem-se míseras janelas, reduzindo o potencial intelectual.

Pais que não estiverem preparados para desatar as armadilhas da mente de seus filhos estimularão a formação de núcleos de janela killer, que comprometerão o desempenho global de sua inteligência. Eles pressionarão, manipularão, farão chantagens, jogarão cada vez mais. Cuidado, pais!

Os pais e professores não percebem que, se todos os pedidos das crianças e dos adolescentes forem atendidos, isso pode traumatizar seu processo de formação da personalidade.

Eles serão transformados em pequenos deuses, ávidos por ter o mundo orbitando ao seu redor. E os primeiros a entrar nessa órbita são seus pais, que se tornam seus serviçais, trabalham, lutam, respiram para atendê-los. Infelizmente, há muitos deuses sendo formados no teatro da educação.

Tenho dito que os pais que são apenas manuais de regras estão aptos a lidar com máquinas, e não a formar pensadores altruístas, carismáticos, empáticos. Os limites são importantes? Sim! Pais inteligentes devem colocar regras para assistir à TV, horário para *videogames*, para dormir. O sono, para ser reparador, precisa de disciplina, horários específicos para iniciar e terminar. Caso contrário, o relógio biológico do cérebro não funcionará de forma saudável.

Dizer "não" quando necessário e negociar quando preciso

Pais inteligentes não devem servir de plateia para o teatro dos filhos, dando inúmeras explicações diante de chantagens ou manipulação. Devem dar mensagens claras e sintéticas: "Eu te amo, por isso não vou ceder a isso"; "Você é fundamental para mim, mais que tudo nesta vida, mas não é o momento de você ganhar aquilo"; "Muitos dos seus amigos podem ter o que você me pede, mas não tenho recursos ou não quero comprar isso para você agora". Seja claro e objetivo. Dentro do possível, saia de cena, não fique discutindo, do contrário você vai perder, no mínimo, a paciência.

Se os pais funcionarem como espectadores das birras, clamores e pressões dos filhos, estimularão o fenômeno RAM a registrar, na psique deles, a crença de que, se ultrapassarem os limites, se exagerarem, poderão dominá-los. E muitos se tornam especialistas nessa manipulação. Pais inteligentes devem dizer com segurança que chantagens, escândalos, nada disso terá efeito sobre sua decisão.

Sucessores precisam de limites. Sucessores precisam do nutriente do "não" para estruturar sua personalidade. Sucessores precisam saber lidar com frustrações para amadurecer. Sucessores precisam saber conquistar, e não manipular. Sucessores precisam ser transparentes, e não dissimuladores.

Mas os pais devem ser sempre rígidos? Jamais! Devem negociar? Dentro do possível, sim, mas sempre fora do ambiente da manipulação. Devem negociar o que é passível de ser negociável, o que não vai prejudicar a saúde física e emocional dos filhos.

Pais devem ser flexíveis em muitos aspectos. A rigidez e o engessamento mental criam um clima improdutivo, pouco agradável e inteligente, mas é diferente ser flexível em momentos brandos e calmos, onde há clima para pensar com tranquilidade nas reinvindicações dos filhos, e em momentos de pressão. Num ambiente inteligente, os pais podem ceder em determinados horários, podem dizer que em tal época eles comprarão o que desejam, podem até negociar uma contrapartida: "Darei isso se você fizer aquilo". Os sucessores devem aprender com seus pais a arte de negociar.

Alguns herdeiros, por serem manipuladores, não terão chance de sobreviver num mundo onde a razão prevalece, onde a negociação é a regra. Eles precisam aprender, em casa, a baixar o tom de voz, a não jogar pesado, a não fazer comparações rápida e impensadamente, enfim, precisam aprender uma das mais importantes funções da inteligência para se conquistar o sucesso afetivo, social e profissional: a de expor as ideias, e não as impor! Caso contrário, "ficarão no piloto automático. Não libertarão seu espírito animal saudável para se desenvolver" (Doren, 1991).

Sucessores sabem que quem impõe suas ideias, ainda que apresente reivindicações corretas, está usando um *modus operandi* incorreto. Com isso, causará muitos acidentes, contaminará suas relações, destruirá oportunidades. Sucessores aprendem a colocar suas ideias na mesa e a dar às pessoas o direito de questioná-las. Eles conquistam os outros pela inteligência e não pela agressividade, excesso de palavras ou argumentos.

Comportamentos inesquecíveis

Filhos precisam ouvir "não", ainda que momentaneamente se irritem. No futuro, os pais mais valorizados e respeitados serão os que colocaram limites, contrapartidas, e não aqueles que cederam sistematicamente. Pais inteligentes devem ensinar a seus filhos que a liberdade plena não existe, que só há liberdade dentro do binômio "direitos e deveres".

Lembre-se das importantes técnicas de correções de rota dos pais inteligentes apresentadas nos capítulos anteriores. Recorde que o maior presente que os pais podem dar é falar de suas lágrimas para que seus filhos aprendam a chorar as deles – enfim, compartilhem suas histórias, falem de si mesmos para seus filhos. Pais que não sabem encantar seus filhos desde pequenos e que substituem sua presença por presentes e brinquedos têm grande chance de construir um corpo de janelas que desenharão uma péssima imagem nos solos do inconsciente dos filhos. E depois, frustrados, reclamarão: "Fiz tudo para esse menino (ou menina), e o que recebo em troca?". Fizeram quase tudo, talvez; deram muito, provavelmente; mas não o essencial, a sua própria história! Não os prepararam para ter consciência crítica para valorar o que de fato merece ser valorizado.

A Alemanha nazista estava no topo da educação clássica, mas infelizmente os campos de concentração se tornaram a maior máquina de destruição da história (Fest, 1978). Adolf Hitler dominou a juventude alemã porque, em detrimento da educação clássica elevada, os jovens daquela sociedade não tinham no inconsciente coletivo a capacidade de filtrar mensagens em situações de tensão. Careciam de empatia, que gera o pensamento crítico, que, por sua vez, torna-se a vacina mais poderosa contra ditadores que vendem ilusões. Foram alvos de manipuladores.

Temos de nos perguntar: estamos produzindo coletivamente essa vacina para prevenir a juventude mundial da ascensão de novos "psicopatas" num futuro breve, onde haverá insegurança alimentar e aquecimento global? Precisamos usar todas as estratégias para formar sucessores inteligentes e empáticos, e não herdeiros que gravitam na própria órbita e gastam irresponsavelmente sua herança, inclusive os recursos naturais.

Um exemplo clássico: em seu último jantar, há mais de 2 mil anos, o maior educador da história estava diante de seus discípulos, que se comportavam como herdeiros no sentido mais pleno da palavra. Muitos eram imediatistas, não transparentes, manipuladores, impulsivos, não pensavam a longo prazo, viviam debaixo da lei do menor esforço, tinham a necessidade neurótica de poder e de evidência social. Teria sido mais fácil desistir daqueles alunos que só lhe davam dor de cabeça. E, para coroar a debilidade deles, não havia evidência de que fossem carismáticos, que soubessem promover os outros, e não apenas a si mesmos.

Como ensinar funções nobres da inteligência a seus alunos se teria menos de 24 horas de vida? O que você faria? Muitos de nós desistiríamos! Mas, para espanto da psicologia e das ciências da educação, o maior formador de sucessores que o mundo já conheceu, por ser simpático (era capaz de estender as mãos afetivamente aos desvalidos), carismático (elogiava os miseráveis) e empático (via o intangível e agia como um engenheiro de atos inesquecíveis), pegou uma bacia com água e uma toalha, curvou-se aos pés daqueles rudes herdeiros e, silenciosamente, começou a lavá-los. Todos ficaram perplexos. Aquele gesto impactou no psiquismo deles.

Não estou falando de religião, mas de ciência. O Mestre dos mestres provocou o fenômeno RAM ao plantar solenes janelas light duplo P. Quais? Ele ensinou poderosamente, sem dizer palavras, que "uma pessoa verdadeiramente grande se faz pequena para tornar grandes os pequenos"; "os fortes usam a inteligência, enquanto os fracos usam a violência"; "os fortes dão tudo o que têm para aqueles que pouco têm, mas os fracos só investem em quem lhes dá retorno". Seus discípulos nunca mais foram os mesmos... Simples pescadores se transformaram em sucessores que mudaram o traçado da humanidade. Somente os empáticos usam suas mãos para aplaudir e oferecem seu ombro para apoiar e para quem chora. Somente eles cobram menos e ensinam muito mais.

Sócrates, Platão, Agostinho, Descartes, Kant, Freud, Jung, Einstein, Nelson Mandela, Martin Luther King, Abraham Lincoln e tantos outros pensadores fizeram a diferença porque pensaram criticamente e se doaram para a humanidade. Alguns líderes, embalados pelo marketing, vendem bem sua imagem no começo da carreira, mas falham quando estão no topo, não sabem promover a formação de novos líderes. Os manipuladores não pensam na humanidade, vivem em função de um projeto pessoal, não deixam um legado, caem na insignificância.

Vejamos agora cinco características ou consequências de ser um manipulador:

1. Espolia sua sociedade, valorizando muito mais seus direitos do que seus deveres;
2. Não desenvolve a simpatia, o carisma e a empatia: tem a visão neurótica de que o mundo existe só para atender as suas necessidades;
3. Usa táticas destrutivas no ambiente social e no mercado de trabalho;
4. Não sabe ser transparente, se avaliar e se reciclar;
5. Não desenvolve resiliência nem sabe negociar, ocupar espaço social e profissional.

Correção de rota dos pais inteligentes: cinco técnicas

Para prevenir a formação de jovens manipuladores, egocêntricos e que querem que o mundo orbite em torno deles, algumas ferramentas precisam ser observadas:

Técnica 1 – Não dê bens materiais em excesso

Pais inteligentes não devem dar roupas, brinquedos, tênis, aparelhos eletrônicos em excesso, mesmo se forem milionários. Uma das "melhores" formas de esmagar a saúde emocional dos filhos e torná-los superficiais, infelizes, consumistas, destruidores de herança é dar tudo o que pedem.

Dar em excesso vicia a mente humana, transforma nossos filhos em vítimas da síndrome CIFE Psicoadaptativa. Eles serão aprisionados num circuito fechado de memória que os levará a ter dificuldade de contemplar o belo, ter resiliência, lidar com crises, cair, se levantar, superar sua preguiça mental, ousar.

Cuidado! Pais ou mães que têm grandes somas de recursos financeiros e não sabem administrar o que dão a seus filhos têm mais chance de comprometer o processo de formação da personalidade deles do que os que têm poucos recursos. O excesso de estímulos, além de promover a síndrome CIFE, desencadeia também outra síndrome: a Síndrome do Pensamento Acelerado (SPA). É bom presentear os filhos, mas dosar é fundamental. E lembre-se: pais inteligentes dão livros de presente. Por quê? Para acalmar o pensamento e estimular a interiorização, a imaginação e o raciocínio.

Por outro lado, se você não possui muitos recursos financeiros, não se "mate" de trabalhar para dar o supérfluo. O que seus filhos mais precisam é do essencial. E reitero que o essencial para o desenvolvimento de uma mente livre e de uma emoção produtiva não pode ser comprado: são seus valores, sua visão de vida, seu afeto, seus abraços, seus beijos, longas conversas, ombro para que eles possam chorar, capacidade de apostar neles quando falharem e habilidade de encorajá-los quando, de alguma forma, desabarem. Enfim, precisam do capital das suas experiências. Bens materiais são substituíveis, mas você é insubstituível.

Técnica 2 *– Seja transparente e cumpra o que promete*

Pais e professores inteligentes devem ser transparentes, cristalinos. Seu comportamento deve estar em sintonia fina com suas palavras. Pais que dissimulam têm grande chance de formar filhos dissimuladores. Pais que prometem e não cumprem têm chance de formar plataformas de janelas killer que estimulam seus filhos a ser irresponsáveis. É melhor dizer "não" do que prometer e não cumprir.

Os atos educam mais que as palavras. O que expressamos em nossos comportamentos impacta mais a formação de janelas do que imaginamos. Há pais que querem que seus filhos sejam honestos, mas, quando alguém interfona no prédio ou telefona para eles, pedem aos filhos que digam que eles não estão. Como esperar que nossos filhos sejam transparentes e éticos se não o somos em situações tão corriqueiras?

Técnica 3 – *Não ceda a chantagens*

Pais inteligentes devem entender que faz parte da imaturidade emocional e, portanto, do processo normal de formação da personalidade, que os filhos usem estratégias para levar vantagem. Entre essas estratégias estão a manipulação, a chantagem, as pressões. Mas, se sempre cederem, os pais estarão negando o papel de corrigir a rota do psiquismo de seus filhos.

Pais frágeis cedem só para que os filhos não façam birra, não emburrem, não fiquem mal-humorados. Pais inteligentes não devem ter medo desses comportamentos. Não devem servir de plateia para que se encene a peça da chantagem. Se atuam como espectadores, se cedem, serão reféns de seus filhos. E nada é mais triste do que servir a pequenos reis que desconhecem limites. Diga "não" sem receios. Saia de cena, mesmo que seu filho se atire no chão.

Técnica 4 – *Dialogue: exalte primeiro, para depois criticar*

Pais e professores inteligentes devem ser hábeis em tratar, com as técnicas aqui apresentadas, a manipulação, a chantagem e a agressividade de seus filhos e alunos. Em primeiro lugar, devem conquistar o território da emoção e, depois, o da razão. Como? Valorizando seu filho ou aluno, exaltando a inteligência e a capacidade deles, inclusive em público. Com essa estratégia, retiram o jovem das fronteiras das janelas killer, rompendo, desse modo, o cárcere do Circuito Fechado da Memória.

Em segundo lugar, eles apontam clara e abertamente as técnicas de manipulação dos filhos. Explicam a eles que, se cederem em tudo, vão quebrar a cara quando adultos, por estarem despreparados. No futuro, terão de conquistar seus objetivos sem choro, manipulação, pressão. Terão de aprender a negociar e oferecer contrapartidas. Conversas honestas em ambientes calmos, ainda que nem sempre sejam agradáveis, são altamente pedagógicas – formam pensadores, e não jovens imaturos. Como abordo no livro *Ansiedade: como enfrentar o mal do século*, infelizmente a idade emocional de muitos jovens com 20, 30 ou 40 anos não passa muito dos 10 anos.

Técnica 5 – *Seja simpático, carismático e empático*

Pais, professores e líderes inteligentes devem ter três características fundamentais para conquistar e influenciar seus filhos, alunos e liderados: ser simpáticos, carismáticos e empáticos.

Ser simpático é distribuir sorrisos e cumprimentos às pessoas diariamente. Cumprimente com alegria não apenas as crianças e os adolescentes, mas o porteiro, o zelador, o garçom, seus colegas de trabalho. A simpatia não é um dom genético nem algo banal, mas um treinamento constante do Eu que forma plataformas das janelas light, que financiam o otimismo, o bom humor e o clima agradável no ambiente familiar, escolar, empresarial. Ser simpático vale medalha de bronze na construção de relações sociais saudáveis.

Ser carismático é distribuir elogios e recompensas com frequência quando uma criança, jovem ou adulto acertar, for prestativo, proativo, perseverante. Quando elogiamos, plantamos janelas light que alicerçam as características mais nobres da personalidade deles, mesmo que ainda sejam incipientes ou infrequentes. Por exemplo, elogie diariamente deste modo: "Parabéns, filho, você foi amável e generoso!"; "Fiquei feliz com sua dedicação!"; "Sua preocupação com a dor dos outros ou com o meio ambiente é notável!". Ser carismático é simples e, ao mesmo tempo, complexo, pois usa um poderoso instrumento psicológico para formar núcleos de habitação do Eu nas matrizes da memória. Não é uma técnica de autoajuda, mas de divulgação científica.

Um dos maiores crimes da educação mundial é deixar passar em branco milhares de comportamentos passíveis de elogios dos nossos filhos, alunos e liderados, mas não deixar de acusá-los minimamente quando falham. Centenas de milhões de pais, bem como professores e executivos, erram muitíssimo nesse quesito: são plantadores de janelas killer, e não light. Ser carismático vale medalha de prata no processo educacional. Você tem essa medalha?

Ser empático é um passo além, mais profundo do que ser carismático. É distribuir sabedoria. É colocar-se no lugar das pessoas, tentar olhar com os olhos delas, procurar o que está por trás dos comportamentos que desaprovamos. Um ser humano empático é altruísta, equilibrado e proativo, preocupa-se com as necessidades dos outros, julga menos e abraça mais, condena menos e contribui mais, reclama menos e agradece muito mais. Ser empático é sair da superfície das relações sociais e perguntar com frequência, inclusive para nosso parceiro ou parceira, se está passando por perdas, frustrações, angústias, rejeição, *bullying*, e como pode contribuir para torná-lo mais feliz. Ser empático é dar um ombro para chorar e outro para apoiar. Portanto, vale medalha de ouro no processo educacional e na formação de relações saudáveis, felizes, realizadas.

Por distribuírem sorrisos, os simpáticos são agradáveis; por distribuírem elogios, os carismáticos são admiráveis; por distribuírem sabedoria, os empáticos são encantadores. O que você distribui para seus filhos, alunos e colegas de trabalho? Todos os jovens que aprenderem essas três artes têm grande chance de se tornar gigantes no cenário social. Por isso sonho que muitos jovens possam ler esta obra. Já pensou formar uma geração com essas características? Precisamos refletir sobre elas diariamente.

Infelizmente, por não termos sido equipados para assumir o papel de educadores inteligentes, não promovemos o Eu como autor da história dos nossos educandos, temos dificuldade de contribuir para formar mentes saudáveis e criativas. A consequência? Muitos só enxergam os conflitos dos filhos e alunos quando estes já precisam ir a um psicólogo ou psiquiatra.

8

Herdeiros são imediatistas, sucessores pensam no futuro, planejam e sonham a médio e longo prazo

"A sociedade se tornou uma fábrica de pessoas imediatistas. O normal é ser ansioso, irritadiço, não elaborar, mas querer tudo rápido e pronto. O anormal é abraçar as árvores, contemplar as flores e fazer da vida um espetáculo. De que lado você está? Dos 'normais' ou dos 'anormais'?"

AUGUSTO CURY

Herdeiros amam o "fenômeno cogumelo"

Herdeiros são imediatistas. Amam o "fenômeno cogumelo", que dá resultados da noite para o dia. Muitos jovens almejam belas colheitas sem lavrar o solo, lançar as sementes e cultivá-las sob o calor do sol. Sucessores, ao contrário, entendem o ciclo da vida. Sabem que não há futuro sem labuta, glórias sem desafios, aplausos sem antes ter experimentado o sabor das derrotas. Não são ingênuos, entendem que não há ambiente sem intempéries.

Os jovens e adultos de hoje são impacientes, mesmo com coisas banais. Se o computador demora a ligar, ficam inquietos. Se a conexão da internet demora, já se irritam. Se não conseguem acessar as redes sociais, se angustiam. Mas que herança estão gastando? Sua preciosa tranquilidade. Gastam ouro em troca de barro.

Muitos são tão ansiosos nas redes sociais que, logo que publicam suas mensagens, imediatamente esperam que todos as "curtam". Se não curtem, ficam angustiados. As redes sociais trouxeram ganhos, disso ninguém duvida. Mas também efeitos colaterais importantíssimos. Um deles é a superficialização das relações. Conhecem muitas pessoas, mas raramente com profundidade. E, o que é pior, muitos usuários desconhecem o personagem mais importante da sua rede social: eles mesmos. Precisam fazer uma desintoxicação digital, aliviar a Síndrome do Pensamento Acelerado, aquietar-se e procurar-se. Você precisa se encontrar?

Claro, há exceções, mas a regra atual é ser um forasteiro em nossa própria mente. Não fazemos uma mesa-redonda com nossos conflitos, perdas, frustrações, metas, sonhos. Alguns, por incrível que pareça, passam anos sem conversar aberta, profunda e honestamente consigo mesmos. Como esperar ser saudável?

Sucessores não são as pessoas mais perfeitas que existem, as que menos traumas possuem ou as que cometem menos tropeços; são as pessoas que mais dialogam consigo mesmas. Têm um caso de amor com sua qualidade de vida. Não têm medo de se questionar, de se mapear, de domesticar seus fantasmas e, como vimos, de se reinventar. Herdeiros não se conhecem minimamente, arranham seus conflitos, tangenciam seus problemas, calam-se sobre si mesmos, inclusive perante seu próprio Eu.

Smartphones viciam

O uso excessivo de computadores, internet, *smartphones* e redes sociais tem contribuído para acelerar a construção de pensamentos numa velocidade jamais vista na história, gerando uma ansiedade e um imediatismo surpreendentes. Uma das maiores falhas dos pais na atualidade é dar um *smartphone* para os filhos e deixá-los ficar o dia todo conectado, sem nenhum limite.

Retire o celular das crianças e adolescentes por um dia e veja como os sintomas proeminentes da dependência psicológica aparecem: irritabilidade, ansiedade, humor depressivo, tédio mordaz, sentimento de vazio existencial, inquietação. Não sou contra o uso deles; sou crítico do excesso de uso. Internet e redes sociais operadas com inteligência promovem interação, conexão, criatividade, porém, se operadas excessiva e superficialmente, invadem a privacidade e asfixiam a liberdade. Produzem um cárcere emocional.

Muitos jovens não conseguem ficar por dez minutos sem usar seu celular. Têm ataques de ansiedade. É comum assistirmos a amigos sentados numa mesma mesa, mas sem conversar. Quando o fazem, é por mensagens. Membros da mesma família não prestam atenção um ao outro, conversam olhando para a tela do celular. Estamos numa era do fim do diálogo presencial. Algo tem de ser feito pelos pais e professores inteligentes. Sem educar a emoção, não há gerenciamento do estresse e da capacidade de trabalhar frustrações. Nossa espécie torna-se inviável, vive sob as raias do instinto animal, vive para sobreviver.

Além do processo de dependência que causam, usar celular antes de dormir retarda o relaxamento, podendo causar distúrbios no sono. Uma criança ou um adolescente deve dormir por pelo menos oito horas. Nos finais de semana e feriados, deveriam dormir por nove ou dez. O sono é o motor da vida; ele repõe as energias gastas pelas atividades físicas e mentais. Quem dorme insuficientemente poderá desenvolver grave ansiedade e até mesmo apresentar sintomas psicossomáticos como dores de cabeça, dores musculares, problemas intestinais, taquicardia e outros. Você conhece jovens vítimas desses sintomas?

Resisti por anos a entrar nas redes sociais. Só há pouco tempo entrei, através do meu instituto e com o objetivo de que a minha página no Facebook tivesse um conteúdo que, de alguma forma, fosse útil para as pessoas, ajudando-as a velejar nas águas da emoção, levando-as a viajar para dentro de si, a compreender o funcionamento básico da mente humana. Numa existência tão breve, otimizar e utilizar nosso escasso tempo com inteligência é ter um romance com a saúde psíquica. Deixar de otimizá-lo é divorciar-se de nossa qualidade de vida. Como está seu romance com a sua saúde psíquica?

Herdeiros não pensam a médio e longo prazo

Os sucessores não vivem apenas em função do mecanismo imediato de recompensa. Eles sabem que os melhores ganhos, os maiores sucessos, demoram a ser maturados. Conquistar um bom trabalho, ascender na carreira e tornar-se um profissional respeitado e eficiente também são projetos de médio e longo prazo. Por isso os sucessores pensam dois, três, dez ou vinte anos à frente. Eles se equipam lenta e vigorosamente. Se têm oportunidade, eles a aproveitam; se não, criam-na.

Sucessores são amigos da paciência. Se assumem uma empresa, pensam a médio e longo prazo. Seguem estes passos: 1. estudam muito e se autoavaliam como líderes; 2. treinam sua equipe constantemente; 3. corrigem processos e reciclam métodos; 4. introduzem tecnologia; 5. previnem erros; 6. enxugam custos. São "ambientalistas do capitalismo", são "reflorestadores da sociedade", objetivam a sustentabilidade, e a não consumir todos os recursos disponíveis.

Herdeiros, sendo imediatistas, têm uma emoção sedenta e ansiosa por prazer. Não se equipam, pois confiam doentiamente em seus instintos. Não estudam, pois confiam cegamente em sua experiência. Não se autoavaliam, pois creem que são os mais capacitados líderes, mas, na prática, levam suas empresas e seus funcionários à bancarrota.

Sucessores descobriram que os sábios aprendem com os erros dos outros e os inteligentes, com os próprios erros. Não precisam se acidentar para aprender, nem mutilar-se para compreender. Astutos, dão valor a pessoas experientes.

Quando um sábio fala, eles silenciam o pensamento, aquietam sua voz e abrem os dois ouvidos para aprender. Aprender a aprender é fundamental (Morin, 2000). Mas onde estão os jovens com essa postura?

Herdeiros, quando têm a oportunidade de estudar, não a agarram. Não se preocupam em fazer um bom curso técnico, uma universidade, uma especialização ou mesmo um mestrado ou doutorado. Para eles, tudo isso é demorado demais.

Por terem acesso à internet e a inúmeras informações, milhões de jovens creem que sabem mais que seus professores. Por mexerem com maestria em computadores, muitos deles pensam que são mais espertos e maduros que seus pais. Mas, quando entram no mercado de trabalho, eles se assombram: os espertos desaparecem. Quando experimentam os ciclos da existência, como o drama e a comédia, os sucessos e fracassos, as feras dos computadores se inibem, as informações não elaboradas se mostram inúteis. Finalmente, entendem que a vida é muitíssimo mais complexa do que operar uma máquina.

Sucessores também sabem que as relações afetivas estáveis e profundas precisam de elaboração e tempo de maturação. É um projeto de vida. Mas é quase inacreditável como muitos jovens na atualidade são impulsivos no amor. Não parecem parceiros um do outro, e sim proprietários. São escravos de suas paixões. O ciúme, o controle, as pressões, a necessidade de que o outro orbite ao redor deles são reações imediatistas e imaturas. Não sabem construir um relacionamento calmo, sereno, agradável.

Para eles, seja no uso de computadores, na navegação pela internet, nas relações sociais, no amor ou até nas relações sexuais, tudo tem de ser rápido. Paciência zero! Não é sem razão que muitos jovens estão apresentando problemas no campo sexual que antes eram praticamente exclusivos de adultos.

A vida tem suas etapas. Em que época as flores surgem? Muitos pensam que surgem na primavera. Mas estão errados. Surgem na escassez hídrica e no drama do gélido inverno. Ali, secreta e lentamente, são elaboradas para desabrochar na primavera. Muitos querem a brisa das alturas e a vista deslumbrante das paisagens, mas não querem escalar as montanhas.

Agora observemos cinco características ou consequências do imediatismo:

1. Aumento dos níveis de ansiedade;
2. Dificuldade de pensar antes de reagir e de filtrar estímulos estressantes;
3. Dificuldade de dar respostas inteligentes nas situações estressantes;
4. Promoção de conflitos interpessoais;
5. Dificuldade de elaborar grandes projetos de vida e de ter êxito afetivo, social e profissional.

Correção de rota dos pais inteligentes: cinco técnicas

Para prevenir a formação de jovens imediatistas, que não planejam a médio e longo prazo, algumas ferramentas precisam ser trabalhadas na relação entre pais e filhos:

Técnica 1 *– Gerencie sua mente*

Pais inteligentes devem aprender a gerenciar a mais incrível e complexa empresa, a mente humana, a única que não pode falir. Se os pais não aprendem a gerenciar minimamente seus pensamentos, como podem querer que os filhos gerenciem seu estresse e sua irritabilidade? Se têm a necessidade ansiosa de querer tudo para ontem, como podem desejar que seus filhos sejam pacientes e elaborem suas experiências mais importantes?

Técnica 2 *– Aplique e ensine a técnica do DCD e da mesa-redonda do Eu*

Todos os dias, pais inteligentes devem fazer uma higiene mental e ensinar seus filhos a fazê-la. Como? Utilizando a técnica do DCD (duvidar, criticar e determinar), bem como a técnica da mesa-redonda do Eu. A mesa-redonda do Eu é uma técnica analítica, e o DCD é uma técnica cognitiva. A partir dessas poderosas técnicas as janelas killer são reeditadas, e as light, construídas. Os pais e os professores notáveis devem questionar, impugnar, criticar, confrontar, no silêncio da própria mente, cada pensamento perturbador, cada reação ansiosa e imediatista.

Por exemplo, devem proclamar silenciosamente no palco de sua mente: "Discordo deste pensamento perturbador!"; "Eu exijo ser livre!"; "Qual o sentido dessa pressa?"; "Por que sofro por antecipação?"; "Como e quando surgiu esse medo e por que sou dominado por ele?". Ensine seus filhos, desde a mais tenra infância, a intervir na própria mente. Essas duas técnicas são fundamentais para crianças, adolescentes e universitários deixarem de ser vítimas e se tornarem diretores do *script* de sua história.

Tenho comentado, nos mais de sessenta países em que sou publicado, que um dos maiores erros da educação mundial é nos fazer atuar com maestria no mundo físico, mas nos fazer tímidos e calados no mundo psíquico. Somos gigantes no mundo de fora, mas frequentemente frágeis meninos no mundo de dentro. Como não adoecer? Milhões de suicídios poderiam ser evitados se nosso Eu deixasse de ser uma marionete e aprendesse a intervir e reciclar o sentimento de culpa, a autopunição, o humor depressivo, o sentimento de abandono.

Técnica 3 – *Faça atividades relaxantes*

Pais inteligentes, para ajudar seus filhos a ser calmos, serenos, tranquilos, devem também fazer coisas calmas, relaxantes, bem elaboradas. Caminhar, andar de bicicleta, cantar dentro do carro, visitar zoológicos são exemplos de experiências calmas e relaxantes. Pais apressados fomentam a agitação mental em seus filhos. Pais impacientes e intolerantes nutrem a irritabilidade deles.

Técnica 4 – *Seja altruísta e coopere*

Pais e professores inteligentes deveriam envolver seus filhos e alunos em programas sociais, como ajuda a entidades, e na elaboração de projetos lúdicos, como tirar e colecionar fotos de paisagens, cuidar de animais e plantas, desenhar, tocar instrumentos, participar de corais. Uma boa ideia é participar com seus alunos e filhos de instituições filantrópicas. Outra excelente atitude é cozinhar com eles. Claro que nesse caso é fundamental tomar cuidado para que as crianças não mexam com fogo ou elementos cortantes. Levar crianças e adolescentes a ter o prazer de servir é simples e impactante. Os pratos podem não ser os mais apetitosos, mas terão o melhor sabor emocional.

Técnica 5 *– Seja contador de histórias*

Pais e professores impactantes deveriam ser excelentes contadores de histórias. Histórias de sua infância, de seus amigos, de seus pais, de livros. Histórias engraçadas, sérias, leves. Esse exercício ajuda a desacelerar o pensamento. Mas alguns pais podem dizer: "Não sei contar histórias". Não há problema! Ria de sua própria dificuldade, zombe de suas limitações. O importante é viver suave e profundamente com seus filhos e alunos para que eles saibam levar a vida a sério e, ao mesmo tempo, aprendam a fazer da existência um grande picadeiro. Equilibrar suavidade e profundidade é uma arte que só os educadores inteligentes aprendem.

9

Herdeiros são conformistas, amam a lei do menor esforço, sucessores são empreendedores, amam a lei do maior esforço

"Todas as escolhas implicam perdas. Quem não estiver preparado para perder o trivial não é digno de conquistar o essencial. E, se formos amigos da sabedoria, descobriremos que o essencial são as pessoas que amamos."

AUGUSTO CURY

A lei do maior esforço deve dominar o Eu

Os herdeiros são conformistas. Não ficam indignados com as características doentias que possuem. Conformam-se com a ansiedade, a irritabilidade, o sofrimento por antecipação, o desempenho intelectual insuficiente nas provas, a timidez, a dificuldade de vender sua imagem social, de influenciar pessoas, de correr atrás dos seus sonhos. Conformam-se também com medos, mau humor, déficit de segurança, dificuldade de ousar, de debater ideias, de cooperar, de criar.

Os herdeiros vivem debaixo de uma perniciosa e destrutiva lei: a do menor esforço. Uma lei que reflete o comportamento simplista e frágil do Eu diante de conflitos, limitações, desafios sociais e metas. A lei do menor esforço amordaça o potencial intelectual, asfixia a coragem e a garra de um ser humano. O filósofo Jean-Jacques Rousseau defendeu a tese de que o homem nasce bom, mas a sociedade o corrompe. O ser humano, na realidade, não nasce bom ou mau, nasce apto para aprender; mas sem dúvida a sociedade pode corrompê-lo, e uma das formas é contaminando-o com a lei do menor esforço.

Os sucessores, ao contrário, vivem debaixo da mais vigorosa lei da inteligência: a lei do maior esforço. Esta representa a atitude inteligente do Eu em se indignar com suas inabilidades e defeitos, o que o leva a se reciclar, se equipar, agir, se reconstruir; impulsiona o Eu a usar estratégias para empreender uma nova jornada, seja ela interior ou exterior, para conquistar o que lhe falta, o que ele planeja e sonha.

Essa lei é a mola propulsora para o desenvolvimento das funções vitais da inteligência, como a capacidade de gerenciar os pensamentos, proteger a emoção, expor, e não impor, as ideias, ter carisma, empatia, resiliência. Quem respira a lei do maior esforço descontamina-se do "coitadismo" (autopiedade) e do conformismo. Não admite ter a mente escravizada, refém.

Aparentemente, a lei do menor esforço produz resultados mais rápidos e, no entanto, superficiais e não duradouros, incapazes de reescrever as janelas da memória, deixando intocável a colcha de retalhos da nossa história. A lei do menor esforço revela os atalhos débeis tomados pelo Eu: a preguiça mental, a letargia, a resistência a mudanças.

O que é mais fácil: colocar-se no lugar do outro ou julgar rápida e impulsivamente? O que é mais simples: compreender o que está por trás dos comportamentos ou condenar? Infelizmente, é mais fácil criticar, expor erros, apontar falhas, comparar, diminuir, excluir, humilhar, elevar o tom de voz, enfim, seguir os atalhos débeis da lei do menor esforço e não os da do maior esforço. Você usa esses atalhos?

Milhões de pais e professores estão doentes e precisam urgentemente se reciclar. Precisam maximizar os acertos de seus filhos e alunos e minimizar seus defeitos, embora não devam negá-los. Precisam aprender a plantar janelas light, exaltar características embrionárias saudáveis para que elas se desenvolvam, em vez de plantar janelas killer com suas broncas e grosserias.

Um educador ou líder que reage sem pensar ou não tolera a mínima contrariedade usa a lei do menor esforço para mudar os outros. Não sabe que ninguém muda o outro. Temos o poder de piorá-los, mas não de mudá-los. Eles mesmos é que devem mudar, se repensar, se organizar, enfim, usar a lei do maior esforço. Lembre-se do que comentei: podemos e devemos contribuir com eles diariamente na "primeira página do jornal das nossas relações sociais"; em vez de supernoticiar suas falhas, devemos exaltar seus acertos. Essa técnica é poderosa, mas é incrível como estamos viciados em noticiar erros. Claro, os erros têm de ser trabalhados, mas exaltá-los constantemente é se postular um deus que acredita que tem o poder de mudar a personalidade dos outros. Infelizmente somos especialistas em causar muitos transtornos.

Por exemplo: se uma pessoa tímida e insegura respira a lei do menor esforço, passará décadas sem arranhar seu medo de falar em público, da crítica, de cair no ridículo. Mas, se usa a lei do maior esforço, ainda que passe por algumas situações constrangedoras, não se omitirá. Ainda que ouça zombarias, não se calará. Essa pessoa se tornará empreendedora, construirá estratégias e uma nova agenda socioprofissional. E essa nova agenda registrará plataformas de janelas light que alicerçarão a liderança do Eu. Assim se cumprirá o sonho de Paulo Freire: a autonomia.

É impossível mudar características básicas da personalidade sob a lei do menor esforço, mas é possível fazê-lo lentamente sob a égide da lei do maior esforço. Todas as vezes que eu e você falhamos, usamos a lei errada.

Relacionamentos infelizes

Um casal que vive a lei do menor esforço não resolve seus problemas de maneira definitiva e completa. Em vez de cada um reconhecer seus erros, se digladiam apontando o dedo um para o outro. Em vez de ser carismáticos, elogiar e promover um ao outro, tornam-se especialistas em diminuir. Em vez de ser empáticos, colocar-se no lugar do outro para enxergar as dificuldades e pontos de vista do parceiro e, consequentemente, ser tolerantes, compassivos, apoiadores, tornam-se peritos em condenar. Não há romance que resista por muito tempo à lei do menor esforço. São herdeiros que desperdiçam, inconsequentemente, o mais belo amor. Eles selam a relação no céu de um altar e terminam no inferno dos atritos.

Para serem merecedores um do outro, parceiros devem entender que uma relação rica, renovável, profunda exige a aplicação da lei do maior esforço. Exige que se aprenda a investir um no outro, debelando as cobranças e críticas.

Quem é ansioso e impulsivo usa a lei do menor esforço para obter o prazer. Não se aventura com eventos saudáveis, não desfruta dos estímulos da rotina diária, não se encanta com as coisas simples e anônimas ao seu redor. Usa o atalho emocional para ter prazer rápido, mas depois entra em queda livre. Vende a liberdade por um motivo torpe, débil, banal. Asfixia sua emoção.

Neurologistas, psiquiatras, psicólogos, educadores que querem ajudar um dependente químico ou qualquer outra pessoa em conflito, seja fobia, timidez, síndrome do pânico, anorexia, depressão, devem abrir mão dos atalhos fáceis e superficiais da lei do menor esforço: interpretações rápidas, críticas, broncas, sermões, apontamento de falhas. Eles causam inúmeros acidentes emocionais. A lei do menor esforço perpetua e às vezes amplia as plataformas de janelas killer dos pacientes.

É necessário recolher as armas e abraçar mais, estimular a interiorização, fomentar a resiliência, irrigar o pensamento crítico, para que aprendam a pilotar sua mente. Também se deve explicar que todas as janelas killer ou traumáticas não podem ser deletadas, apenas reeditadas, e para isso é vital usar diariamente a técnica do DCD e da “mesa-redonda do Eu”.

Já comentei a técnica do DCD e agora gostaria de falar, ainda que sinteticamente, sobre a técnica da mesa-redonda do Eu. Ela é fundamental nas ciências da educação e na psicoterapia para formar mentes livres e emoções saudáveis – em outras palavras, sucessores. É exercida por um Eu ciente dos seus papéis vitais, em destaque como gestor psíquico. O Eu, que representa nossa consciência crítica, deve reunir silenciosamente medos, timidez, imediatismo, dependência, ciúme, raiva, sentimento de autopunição, enfim, os fantasmas psíquicos, para questioná-los, criticá-los e reciclá-los diariamente. Por exemplo, o Eu bombardeia com questionamentos a timidez: como ela se manifesta? Quando se manifesta? Por que sou controlado por ela? Qual é o seu fundamento? Que estratégias usarei para superá-la? Qual é o problema se eu for criticado e ridicularizado?

A mesa-redonda do Eu, portanto, apequena nossos conflitos, domestica nossos fantasmas, reedita as janelas killer. Ela não é mágica, mas deve ser vivenciada como uma nova agenda de vida. Imagine o poder dessa técnica para reciclar as atitudes irresponsáveis dos herdeiros, como conformismo, autopiedade, consumismo, ingratidão, imediatismo, lei do menor esforço. Por meio das técnicas do DCD (aplicadas no foco de tensão) e da mesa-redonda do Eu (aplicadas fora do foco de tensão) deixamos de ser marionetes, espectadores passivos dos nossos conflitos, e começamos a dirigir o *script* da nossa história. Elas podem ser aplicadas por todo ser humano, sobretudo na educação, mas também como excelentes ferramentas complementares ao tratamento psiquiátrico e psicoterapêutico.

Dons da lei do maior esforço e desastres da lei do menor esforço

Se um pai ou uma mãe usar a lei do maior esforço, no primeiro momento, libertará seu imaginário, será criativo, falará menos dos conflitos dos filhos e muito mais sobre sua trajetória. Sairão juntos, se aventurarão, farão novos projetos, encantarão um ao outro. Os pais expressarão solenemente que apostam nos filhos. Ficarão engrandecidos no psiquismo deles, formarão novos núcleos de janelas light e, portanto, criarão pontes interpessoais saudáveis e profundas. E, num segundo momento, poderão criticar ou abordar qualquer erro ou conflito que seus filhos tiveram. Suas palavras terão impacto, suas reações influenciarão e não mais invadirão a privacidade dos filhos. Ajudar um ser humano fragmentado exige empreendedorismo e notáveis estratégias. Por isso, muitas pessoas, incluindo profissionais de saúde mental, apesar de terem boas intenções, falham.

Após os milhares de consultas e atendimentos psicoterapêuticos que fiz, estou plenamente convencido de que tentar usar atitudes mágicas para desatar as algemas da emoção patrocinada pela lei do menor esforço é um desastre. Se um professor que tem um aluno agitado, desconcentrado, agressivo, que tumultua a classe, usar a lei do menor esforço como método de resolução de conflito em sala de aula, ele julgará publicamente, sentenciará, excluirá, expulsará, comparará. Mas, se ele conhecer o funcionamento multifocal da mente e os papéis do Eu como gestor psíquico, vai preferir usar a lei do maior esforço e, assim, surpreenderá seu aluno.

Será simpático, sorrirá e cumprimentará mais, portanto será mais admirável e menos ameaçador. Também será carismático, fará elogios em público cada vez que o aluno tiver uma reação saudável, promovendo, assim, seu potencial intelectual. Portanto não será apenas agradável como os simpáticos, mas admirável, como os carismáticos. Além disso, será empático, procurará enxergar seu aluno com os olhos deste e se preocupará em contribuir com suas necessidades. Gastará algum tempo nos intervalos da aula para conversar, penetrar em seu mundo e conquistá-lo. Portanto não será apenas agradável como os simpáticos nem admirável como os carismáticos, mas também encantador, algo que só os empáticos são. Pois só eles são capazes de perguntar: "Como posso contribuir para torná-lo mais feliz, saudável e eficiente?". Só os empáticos constroem janelas light duplo P, que serão inesquecíveis.

Apenas os pais, professores e executivos simpáticos, carismáticos e empáticos resolvem respectiva e magistralmente os conflitos em casa, na sala de aula e no espaço das empresas. Formarão brilhantes sucessores que terão um caso de amor com a vida, com a escola e com a humanidade. Por isso tenho advogado, em muitos congressos de educação, que os líderes usem e abusem da lei do maior esforço e abandonem o raciocínio simplista, rápido e superficial da lei do menor esforço.

A guinada de um aluno irresponsável

Os alunos não têm consciência de que a lei do menor esforço os faz desperdiçar seu potencial intelectual, sua capacidade de superar dificuldades, criar e aproveitar oportunidades. Neste livro comentei as enormes dificuldades iniciais que tive para publicar meus primeiros títulos. Agora quero comentar um exemplo de um aluno irresponsável, que vivia sob a lei do menor esforço e tinha tudo para não dar certo. Eu era esse aluno. Quero dar meu exemplo, porque, como disse, uma pessoa que não é transparente, que não mapeia suas mazelas, leva para o túmulo os seus conflitos.

Eu era um especialista em não prestar atenção nas aulas. Conversas paralelas, viagens pelo imaginário, falta de disciplina, imediatismo, despreocupação com o futuro. Tudo isso fazia parte do dicionário do meu intelecto. Não era perito em estudar, ler, criar, ter metas. O resultado não poderia ser outro: era um relapso herdeiro, aluno de uma querida escola pública, mas destinado a viver à sombra de meus pais. E acrescento um dado importante: no segundo ano do ensino médio, eu era a segunda nota da classe. De baixo para cima, é claro. Ninguém acreditava em mim. Professores, colegas, parentes, ninguém acreditava que eu pudesse ir muito longe. A lei do menor esforço havia sepultado meu potencial intelectual.

Numa reunião de amigos do colegial onde todos falavam sobre o que queriam ser na vida, eu disse que queria ser médico e cientista. A reação? Silêncio total. Depois vieram os deboches. Pensei: se depender da torcida, estou frito. Mas felizmente descobri a lei do maior esforço e entendi que o céu e o inferno emocional, os invernos e as primaveras, tudo se alterna. Para espanto de muitos, 25 anos depois recebi um diploma de membro de honra de uma academia de gênios de um instituto europeu de inteligência, e meus livros são adotados em instituições consagradas. Brinquei comigo: eu, gênio? Como engano bem! Na realidade não sou um gênio clássico. Como pesquisador da mente humana, estou convicto que todos nós temos uma inteligência surpreendente. As ferramentas que descrevo neste livro estão dentro de cada ser humano e podem levá-lo a lugares inimagináveis e a realizar um trabalho melhor do que o meu.

Por que houve essa grande virada? Porque interrompi drasticamente minha trajetória irresponsável. Porque descobri que o sucesso é sonhar com muita disciplina. O sucesso é um projeto de vida forjado pela lei do maior esforço. Passei a amá-la e até a respirá-la. Travei uma batalha interna contra a lei do menor esforço, contra meu conformismo mental. Resolvi, ainda sem desenvolver esse termo na época, ser o autor, e não a vítima da minha história. Para quem detestava pegar em livros e cadernos, passei a estudar de doze a catorze horas por dia, inclusive em muitos feriados e finais de semana.

Toda trajetória de mudança tem pelo menos quatro fases, algumas difíceis de suportar. A primeira é a da euforia da própria mudança. Um momento tranquilo. A segunda é a do enfrentamento das dificuldades que surgem pelo caminho. Muitos recuam porque detestam passar por diminutos sofrimentos. A terceira fase é a da experiência do tédio. Não são as dificuldades que perturbam os herdeiros aqui, mas a rotina. Como são viciados em festas, aventuras, baladas, novidades, infelizmente retrocedem. A quarta fase é a da estabilidade, da superação e da coroação. Não são os gênios, os alunos notáveis, os cultos, os ricos que a alcançam, e sim os perseverantes, os que amam o raciocínio complexo, os que pensam a longo prazo e vivem a lei do maior esforço.

Após enfrentar essas quatro fases, entrei na faculdade de medicina. E, na faculdade, não queria ser um estudante comum. Como comentei, saía dos territórios da biologia e penetrava no mundo psíquico dos pacientes, escrevia páginas e páginas sobre seus medos, pesadelos, sonhos, conflitos, cárceres psíquicos. Milhares e milhares de perguntas e inúmeros focos de observação e análise detalhada. A observação sistemática da natureza e o raciocínio lógico foram os segredos de Leonardo da Vinci (Capra, 2008) e também estão entre os meus segredos. Ficava fascinado com o incrível mundo alojado secretamente dentro de cada ser humano, ainda que fosse um simples anônimo. Analisava e escrevia também sobre meus fantasmas emocionais, lágrimas, conflitos, dificuldades de gerenciar meus pensamentos. Considerava-me um caminhante que andava no traçado do tempo em busca de mim mesmo. Finalmente me encontrei, pelo menos parcialmente. E você?

Lei do maior esforço aplicada na proteção da emoção

Herdeiros precisam de muitos eventos para sentir pouco, ao passo que sucessores aprendem com seus pais a contemplar o belo, a fazer dos pequenos estímulos uma homenagem para a emoção. Herdeiros têm um olhar superficial, enquanto sucessores aprendem a arte de observar: enxergam as nuances das flores, a anatomia das nuvens, as multicores das paisagens, o sabor de um bom bate-papo.

Sucessores sabem que viver em sociedade é uma experiência tão bela quanto estressante. Milhares de animais nunca nos decepcionariam, mas conviver com um ser humano é suficiente para haver frustrações. Herdeiros não têm proteção emocional. Parecem fortes, mas não suportam uma crítica. Parecem donos de si, porém são controlados pelos ventos sociais, estejam estes a favor ou contra eles.

A lei do maior esforço deve nos libertar do cárcere do preconceito, nos descontaminar do pensamento dialético, simplista, e nos levar para as águas do pensamento antidialético, complexo. O pensamento dialético é formado pela linguagem lógica dos sinais sonoros ou visuais, enquanto o pensamento antidialético é formado pela imaginação, que é livre e frequentemente ilógica.

Os sucessores preservam e, às vezes, expandem sua herança, seja ela constituída por valores, ética, cultura ou bens materiais, porque aprendem a usar o mais rico de todos os tipos de pensamentos conscientes: o pensamento antidialético. Ele é a fonte dos empreendedores, a fonte em que os pensadores bebem.

As crianças, em seus primeiros anos, cultivam espontaneamente o pensamento antidialético, libertam sua imaginação e, por isso, bombardeiam seus pais com inúmeras perguntas. As perguntas são dialéticas, mas a fonte delas é a imaginação, que é antidialética. Porém um grande acidente ocorre na mente de crianças e adolescentes nas escolas, praticamente em todo o mundo. Depois que os alunos começam a frequentar a escola, são enfileirados e saturados de informações dialéticas. As crianças asfixiam sua imaginação e pouco a pouco deixam de perguntar. A maioria de nós, já nos primeiros anos, começa a limitar sua capacidade de criar.

O pensamento dialético é unidirecional e rígido, enquanto o pensamento antidialético liberta a imaginação, abre um mundo de possibilidades, fomenta o espírito criativo e seus elementos fundamentais: abertura, tolerância ao risco, ânimo, curiosidade (Ayan, 2001). O pensamento dialético nos leva a reagir seguindo o fenômeno ação e reação, estimulando-nos a excluir, condenar, agredir, o que retroalimenta a violência. Já o pensamento antidialético nos leva a exercer a generosidade, a tolerância e a pacificação, pois nos faz enxergar por múltiplos ângulos as ofensas, crises e frustrações. O pensamento dialético restringe o campo de visão de um executivo, profissional liberal, educador, esportista, enquanto o pensamento antidialético amplia o campo de visão e de ação.

Os pensadores da filosofia, do direito, da medicina, da sociologia, da psicologia, das ciências físicas, da matemática e da biologia só produziram novos conhecimentos e promoveram o desenvolvimento humano em seus amplos aspectos porque não foram escravos da lei do menor esforço, mas amantes da lei do maior esforço. Alguns pagaram um preço caro nessa empreitada, foram humilhados, julgados, presos, tratados como hereges, queimados, mas não desistiram da lei principal, da mãe da intuição, do raciocínio complexo, a fonte das inteligências múltiplas propostas pelo psicólogo norte-americano da área de educação Howard Gardner.

Precisamos incentivar a formação de empreendedores que amam a lei do maior esforço, capazes de mudar o traçado da história, pelo menos da sua própria. Há mais de dez anos, no livro *Pais brilhantes, professores fascinantes*, comentei que, quanto pior for a qualidade da educação, mais importante será o papel da psiquiatria e da psicologia clínica. E essas áreas nunca foram tão importantes.

As estatísticas que demonstram esse fenômeno coletivo do adoecimento psíquico são impactantes. De acordo com a Universidade Federal do Rio Grande do Sul, 45% dos jovens brasileiros na idade de entrar na faculdade (vestibulandos) têm sintomas depressivos. Um número assombroso! Isso não o preocupa? Devemos fazer todos os esforços, usar todas as ferramentas disponíveis para formar sucessores mentalmente livres, emocionalmente saudáveis, criativos, altruístas.

Agora vejamos cinco características ou consequências de viver sob a lei do menor esforço:

1. Fomentar a agressividade, reagir por impulso, sem pensar;
2. Travar o potencial intelectual e sua genialidade;
3. Enterrar sonhos e projetos. Ficar no campo dos discursos;

4. Perpetuar medos, crises, mau humor, timidez ou outros conflitos;
5. Retroalimentar a violência, não contribuir para uma humanidade mais inteligente, justa, pacífica, generosa.

Correção de rota dos pais inteligentes: cinco técnicas

Para prevenir a formação de jovens que vivem sob a lei do menor esforço, precisam ser utilizadas algumas ferramentas na relação entre pais e filhos:

Técnica 1 – *Use o raciocínio complexo*

Pais e professores inteligentes devem ensinar a seus filhos e alunos que os elementos mais importantes, que nos fazem pessoas felizes e realizadas, dependem do uso de um raciocínio "brilhante". As relações sociais, o amor, o desempenho escolar, as habilidades profissionais, para serem experiências profundas e duradouras, exigem a prática constante dessa lei, que envolve metas, garra, disciplina, agradecimento, gerenciamento da impulsividade, raciocínio profundo, mapeamento de nossa história. A lei do maior esforço coroa todas as ferramentas apresentadas neste livro.

Técnica 2 – *Os melhores sucessos dependem de uma nova agenda*

Pais inteligentes devem demonstrar a seus filhos que tudo é um processo. Para construir os carros de hoje, foram necessários milhões de informações vindas de milhares de cientistas ao longo de mais de um século. Os computadores do passado tinham o tamanho de uma sala e eram menos potentes que os celulares das crianças de hoje. Nada é mágico. Se seus filhos não aprenderem que há um processo criativo lento e profundo por trás de tudo, não entenderão o que é empreendedorismo, inovação, criatividade. Serão eternos herdeiros, mentalmente engessados e conformistas.

Conte histórias para ajudá-los. Eis uma boa história: um empresário tinha uma máquina supermoderna e caríssima que custava milhões de dólares. Mas ela apresentou um problema que ninguém conseguia resolver. Depois de idas e vindas, o empresário ouviu falar de um engenheiro muito bom. O engenheiro chegou, observou a máquina, avaliou o defeito e em seguida disse: "Eu a conserto". Feliz da vida, o empresário perguntou quanto ficaria o conserto. "Dez mil reais", disse o engenheiro. Era caro, mas o empresário resolveu pagar. Enquanto o engenheiro consertava a máquina, ele ficou observando. O conserto demorou dois minutos e consistiu na troca de uma peça que custava dez reais. O empresário quase caiu para trás. Ficou tão indignado que, no dia seguinte, pediu que o engenheiro discriminasse na nota fiscal a razão daquele preço. O engenheiro não teve dúvida: "Dez reais pela peça e nove mil, novecentos e noventa por trinta anos de experiência". Ninguém se torna um grande especialista da noite para o dia.

***Técnica 3** – Ensine o que é a ansiedade produtiva e a ansiedade doentia*

Pais inteligentes devem diferenciar a ansiedade saudável da ansiedade doentia. Existe uma ansiedade vital dentro da lei do maior esforço. Essa ansiedade é normal e nos inspira, motiva, anima, gera curiosidade. Mas há uma ansiedade que gera imediatismo, que queima etapas, que paralisa, desanima e engessa a mente dos jovens. Essa ansiedade frequentemente está inserida na lei do menor esforço.

***Técnica 4** – Invista na felicidade dos outros*

Pais inteligentes ensinam a seus filhos uma regra de ouro na psicologia: a melhor maneira de investir na sua felicidade é investir no bem-estar de seus colegas, funcionários, colaboradores, na humanidade como um todo. Quem vive apenas para si não oxigena a emoção e precisa de muitos eventos para sentir migalhas de prazer.

***Técnica 5** – Não seja impulsivo, faça a "oração" dos sábios*

Pais e professores inteligentes não devem dar respostas rápidas e impensadas. Lembre-se: julgar, sentenciar, comparar, expor os erros dos outros publicamente são exemplos solenes da lei do menor esforço, são atalhos mentais superficiais. Ensine a seus filhos e alunos a fazer a oração dos sábios durante os focos de tensão, ou seja, quando feridos, rejeitados, excluídos ou quando falharem ou se frustrarem. A oração dos sábios é o silêncio proativo. Não é um silêncio comum, mas um silêncio em que se cala por fora e se grita por dentro. Ela é uma prática da lei do maior esforço. Através dela uma criança, adolescente ou adulto aprende a bombardear-se de perguntas: quem sou? Devo comprar essa ofensa? Por que não sou autônomo ou não tenho opinião própria? A oração dos sábios nos ensina a pensar antes de reagir, levando-nos a dar respostas inteligentes e não impulsivas. Ela é uma versão da técnica do DCD. Você pensa antes de reagir ou reage pela lei do menor esforço?

Por outro lado, a prática da oração dos sábios refina nossas relações e nos faz perguntar: "Filho, onde eu errei?" ou "O que posso fazer para torná-lo mais feliz?". Educadores inteligentes devem julgar menos e apostar mais, condenar menos e acreditar mais. Não são promotores de pessoas ansiosas, mas contribuidores de seres humanos calmos, tolerantes e serenos. Que tipo de promotor você é?

10

Formar sucessores com mente livre e saudável. Eis o grande desafio

"Todo ser humano passa por tempestades ao longo de sua história. Para alguns, faltam alimentos na mesa; para outros, alegria no território da emoção. Uns nascem em berço de ouro, mas não conseguem descansar. Outros adquirem status, mas mendigam o pão da tranquilidade e da felicidade. Que pão falta em sua vida?"

AUGUSTO CURY

Não se culpe: repense a si mesmo e se recicle

Há pouco tempo dei uma conferência para um grupo notável de pedagogos e psicólogos no programa Escola da Inteligência (E.I.),[2] que objetiva trabalhar todas as ferramentas deste livro para contribuir para a formação de mentes brilhantes,

2. O programa E.I. entra na grade curricular com uma aula por semana para ensinar as funções mais importantes da inteligência. Renunciei aos direitos autorais para que ele seja acessível às escolas dos mais diversos países. Os resultados são surpreendentes para desenvolver uma escola psicologicamente saudável. Para mais informações, acesse www.escoladainteligencia.com.br. [N. A.]

emoção saudável e habilidades sociais. Durante as conversas que fecharam o evento, veio à tona um fenômeno importante, que talvez tenha ocorrido aos leitores ao longo dos capítulos: a culpa.

Uma inteligente psicóloga expressou: "Meu Deus, agora compreendo quanto falhei na educação do meu filho. Se soubesse dessas ferramentas, ele não seria tão tímido, retraído, inseguro. Seria outra pessoa...". Estava abatida. Mas, tentando animá-la, eu lhe disse: "Uma pessoa sábia não corrige o passado, pois ele é irreparável; ela corrige o futuro, atuando no momento solene do presente". E completei: "Em primeiro lugar, ame-o e respeite-o com todos os seus defeitos. E saiba que ninguém muda o outro. Tentar mudá-lo com broncas, chantagens e críticas excessivas é um desastre, só vai cristalizar nele os seus conflitos". Em seguida, falei para toda a plateia: "Mas não estamos de mãos atadas. Nunca é tarde para contribuir para que nossos filhos se tornem autores de sua história".

Alguns pais, professores e líderes podem ter descoberto que também erraram muito. É fundamental ter consciência das nossas falhas, mas, se nos deixarmos enredar pelo sentimento de culpa, podemos ficar paralisados e destruir o ânimo para nos reinventar e corrigir nossos comportamentos. A mente humana é plástica, mutável, e os filhos podem e devem se reciclar e reescrever sua história, mesmo que hoje eles já sejam adultos. Podemos todos os dias usar o carisma, a empatia, a lei do maior esforço, encantar e impactar.

Recordações que sempre devem estar vivas

No decorrer dos capítulos, tivemos a oportunidade de observar as múltiplas facetas que compõem os herdeiros e os sucessores, analisando-as e refletindo sobre procedimentos para corrigir alguns rumos na formação de nossos filhos e alunos. Só não muda sua rota quem não está vivo. Precisamos desatar os nós que emperram sua formação como pensadores livres e empreendedores.

Formar sucessores é a chave para o futuro de um jovem, de uma família, de uma empresa, de uma sociedade e até da espécie humana. Formar sucessores é formar seres humanos que preservam a vida, os valores sociais, a ética, a justiça social. Por outro lado, formar herdeiros é formar seres humanos que desfrutam do presente, sem compromisso com o futuro, que vivem na lama do individualismo e do egoísmo.

Formar sucessores é formar seres humanos generosos, humildes, motivadores, cooperadores, doadores, mentalmente equipados, que pensam não apenas em si ou em seu grupo político, religioso ou social, mas são apaixonados pela humanidade, pois sabem que a melhor maneira de investir em seu bem-estar é investir na felicidade dos outros.

Já herdeiros são despreparados para a vida, desmotivados, alienados, que precisam de grandes incentivos para dar alguns passos. Formando-os, estamos fomentando mentes imaturas – cuja idade biológica não condiz com a idade emocional –, conformistas, sem resiliência – que não sabem lidar com perdas e fracassos – e que, além disso, têm a necessidade de ser o centro das atenções, pelo menos dos seus pais.

Os sucessores, por sua vez, são líderes que pensam grande, porque não se submetem ao cárcere da mesmice, não têm medo de respirar novos ares e têm plena consciência de que quem sobe no pódio sem derrotas e lágrimas não é digno de grandes glórias.

Formar herdeiros é formar pessoas que amam ser servidas, que supervalorizam seus direitos e minimizam seus deveres, que tendem a ser exploradores e espoliadores de seus pais, das empresas, da sociedade, dos recursos da natureza. É formar pessoas que amam receber, mas têm grande dificuldade em dar. É formar jovens que amam o "sim" e detestam o "não", que amam o mecanismo de recompensa imediata. Seres humanos que não desfrutam do processo, que querem tudo rápido e pronto, que são tão ansiosos que não sabem aproveitar as oportunidades, e muito menos criá-las.

Formar sucessores é formar homens e mulheres que libertam seu imaginário para construir estratégias para atingir suas metas. É construir seres humanos que se entregam, dão o melhor de si para ter excelência emocional e profissional. É formar profissionais inteligentes capazes de prevenir erros e não apenas de corrigi-los, que se preocupam em primeiro lugar em quanto são eficientes para depois se preocupar em aumentar o seu salário, que treinam sua capacidade para administrar sua mente para depois gerir pessoas.

Pais, professores e líderes inteligentes investem não apenas em quem lhes dá retorno, mas naqueles que os frustram e têm deficiências. E, além disso, numa existência tão breve, devemos procurar os personagens extraordinários que esquecemos pelo caminho, que abandonamos pelo excesso de trabalho, compromissos, informações, computadores, *smartphones*. Quem? Nós mesmos! É estranho e doentio que muitos nunca tenham sequer um encontro real, profundo e produtivo consigo mesmos. Mas devemos nos procurar e, se nos encontrarmos, devemos nos questionar honestamente uma, duas, três vezes e muitas mais. Quem somos? Somos herdeiros ou sucessores? Preservamos e enriquecemos nossa herança ou a gastamos de maneira banal? E o que estamos formando?

Depois desse mapeamento emocional e intelectual, devemos mais uma vez concluir que todas as escolhas implicam em consequências. E reafirmo: ninguém é digno de conquistar o essencial se não suportar perder o trivial. E, no fundo, sob as asas do tempo, descobrimos que o essencial são nossos filhos, parceiro(a), amigos, alunos. E também nós mesmos. Devemos todos os dias trazer à nossa memória que investir em quem amamos e em nós mesmos é o maior investimento de um ser humano. Um investimento cujo risco é ser um poeta da vida, uma pessoa apaixonada pela existência.

Sempre digo que há duas maneiras de fazer uma fogueira: com madeira seca ou com sementes. Os que preferem a madeira querem resultados imediatos, mas logo ela acaba e o frio retorna. Os que plantam sementes terão uma floresta e nunca lhes faltará madeira para se aquecer. Prefira as sementes, plantando-as nos solos de quem você ama. Educar exige sementes. É um processo lento e inteligente que envolve ferramentas que mexem com os poderosos núcleos de habitação do Eu escondidos nos bastidores de nossa mente. E tais ferramentas devem ser aplicadas ao longo de nossa história, da meninice ao último suspiro de vida. Se as plantarmos continuamente, formaremos plateias inteiras de sucessores em todos os povos, em todas as escolas, em todas as famílias e religiões. Haverá menos guerra e mais solidariedade, menos discriminação e mais compaixão, menos armas e mais diálogo.

Dez ferramentas para que educadores inteligentes formem sucessores

Para encerrar este livro, recapitularei algumas técnicas fundamentais que todos os pais, professores e líderes devem sempre ter em mente durante a formação de sucessores. Este breve resumo não substitui todas as discussões que tivemos ao longo do texto.

Todas estas ferramentas podem sulcar, oxigenar e arquivar plataformas de janelas light na MUC, no centro consciente da memória, preparando terreno para o desenvolvimento das habilidades emocionais e intelectuais.

1. Surpreenda mais, saia do cárcere da mesmice, seja inventivo e diga frases novas: "Filho(a), obrigado por existir"; "Você faz a diferença na minha vida". Encante seus filhos e alunos com gestos únicos;
2. Quando criticar, primeiro conquiste o território da emoção, valorize as pessoas, para depois avançar para o campo da razão. Lembre-se de que toda mente é um cofre; não existem mentes impenetráveis, e sim chaves erradas. Um filho ou aluno que erra é mais

importante que seu próprio erro. Apontar falhas sem antes exaltá-lo minimamente é uma invasão de privacidade. Planta-se janela killer, e não light;

3. Faça-se pequeno para tornar os pequenos grandes. Não fale apenas do trivial, destaque o essencial. Transfira o capital de suas experiências, fale dos seus dias difíceis, comente sobre alguns dos seus erros e fracassos para que seus filhos e alunos aprendam que ninguém é digno do pódio se não usar suas falhas e derrotas para alcançá-lo;
4. Dê aquilo que o dinheiro não pode comprar. Pais que transmitem apenas bens materiais, que dão presentes em excesso, que não suportam birras, manhas e pressões, formarão herdeiros insaciáveis, fecharão o circuito da memória deles, levando-os a ser consumistas e imediatistas, a precisar de muitos eventos para ter parcos prazeres;
5. Seja simpático, treine distribuir sorrisos e cumprimentos. Seja carismático, distribua elogios quando seus filhos e alunos acertarem. Seja empático, coloque-se no lugar deles, distribua sabedoria. No momento em que seus filhos falharem ou tropeçarem não aponte os erros, não compare nem puna, seja o primeiro a dizer que acredita no potencial deles. Dê um ombro para que chorem e o outro para apoiar e ensinar;
6. Aprenda a escutar, e não apenas ouvir. Ouça o que seus filhos têm a dizer, e não apenas o que você quer ouvir. Pergunte quais são os fantasmas que assombram a mente deles. Há medos nunca revelados, mágoas nunca ditas, angústias que jamais chegaram ao território da

linguagem. Leve-os a ter intimidade com as técnicas do DCD e da mesa-redonda do Eu;

7. Relaxe mais. Dê mais risada, até mesmo de suas tolices, sua estupidez, sua rigidez e seus medos. Leve as crianças e os adolescentes a não ter medo da vida. Cobre menos e inspire mais. Uma pessoa madura pensa e se aventura como adulto, mas sente como uma criança;
8. Quem é apenas um manual de regras está apto a lidar com máquinas, mas não a formar pensadores. Se você precisa elevar o tom de voz para ser ouvido, algo está errado, você é grande por fora, mas pequeno dentro de seus filhos. Se você for grande por dentro, seu tom de voz poderá ser brando, e mesmo assim suas palavras terão impacto;
9. Aposte tudo naqueles que têm pouco. Use a lei do maior esforço, abra o leque da sua mente, abrace mais e julgue menos. Não seja imediatista; educar é semear com paciência. Um dia, os jovens que mais nos dão trabalho hoje, se investirmos com inteligência no psiquismo deles, poderão ser os que mais nos darão alegrias;
10. Seja resiliente e ensine a resiliência: a capacidade de enfrentar a dor, reciclar o trauma, impugnar pensamentos perturbadores, repensar a timidez, desfazer-se do sentimento de culpa e autopunição. Mostre que a vida é um ciclo, que drama e comédia, risos e lágrimas fazem parte da vida de qualquer ser humano. Ensine que o sucesso não é mágica, mas um processo. O sucesso é sonhar com disciplina.

Considerações finais

Educar é amar, se entregar, se estressar, falhar, chorar, se alegrar, se reinventar e começar tudo de novo. Muitos amam o perfume das flores, mas não querem usar ferramentas nem sujar as mãos para cultivá-las...

Lembre-se sempre de que pais quiseram comprar com seu dinheiro a sabedoria e a felicidade para seus filhos, políticos quiseram dominá-las com seu poder, celebridades quiseram seduzi-las com sua fama, intelectuais quiseram conquistá-las com sua cultura, e os jovens quiseram capturá-las com seu imediatismo. Mas a sabedoria, inteligentíssima, sussurrou aos ouvidos deles: "Dinheiro, poder, fama compram a mensalidade da escola, mas não a capacidade de pensar; compram a cama, mas não o sono; compram bajuladores, mas não amigos para os dias difíceis; compram presentes, mas não uma emoção estável e profunda". De fato, a sabedoria e a felicidade jamais podem ser compradas; podem apenas ser conquistadas. E, reafirmo, são conquistadas quando nos tornamos simples seres humanos em busca de um personagem fundamental que frequentemente abandonamos nessa fascinante, porém estressante, existência: nós mesmos.

Que você seja um educador inteligente. Ao educar, liberte seu imaginário, crie, ouse e influencie, contudo não tenha medo de falhar. E, se falhar, não tenha medo de chorar e, se chorar, repense sua trajetória, mas não desista de caminhar. Dê sempre uma nova chance para si e para quem ama...

Referências bibliográficas

ADORNO, Theodor W. *Educação e emancipação*. Rio de Janeiro: Paz e Terra, 1971.

AYAN, Jordan. D*ez maneiras de libertar seu espírito criativo e encontrar grandes ideias*. São Paulo: Negócio, 2001.

BAYMA-FREIRE, Hilda A.; ROAZZI, Antônio. *O ensino público é um desafio de todos*: *encontros e desencontros do ensino fundamental brasileiro*. Recife: Editora Universitária da UEPE, 2012.

CAPRA, Fritjof. *A ciência de Leonardo da Vinci*. São Paulo: Cultrix, 2008.

CHAUÍ, Marilena. *Convite à filosofia*. São Paulo: Ática, 2000.

CURY, Augusto. *A fascinante construção do Eu*. São Paulo: Academia de Inteligência, 2011.

______. *Ansiedade: como enfrentar o mal do século*. São Paulo: Saraiva, 2013

______. *Inteligência multifocal*. São Paulo: Cultrix, 1999.

______. *O código da inteligência*. Rio de Janeiro: Ediouro, 2009

______. *O colecionador de lágrimas*. São Paulo: Planeta, 2012

______. *O Mestre dos mestres: Jesus, o maior educador da história*. Rio de Janeiro: Sextante, 2006
_____. *O vendedor de sonhos*. São Paulo: Academia de Inteligência, 2008
______. *O vendedor de sonhos III: o semeador de ideias*. São Paulo: Planeta, 2010
______. *Pais brilhantes, professores fascinantes*. Rio de Janeiro: Sextante, 2003.
DESCARTES, René. *O discurso do método*. Brasília: UnB, 1981.
DOREN, Charles Van. *A History of Knowledge*. Nova York: Random House, 1991.
DUARTE, André. "A dimensão política da filosofia kantiana segundo Hannah Arendt". In: ARENDT, Hannah. *Lições sobre a filosofia política de Kant*. Rio de Janeiro: Relume Dumará, 1993.
FERGUSON, Niall. *A ascensão do dinheiro*. São Paulo: Planeta, 2009.
FEST, Joachim. *Hitler*. Rio de Janeiro: Nova Fronteira, 2012.
FOUCAULT, Michel. *A doença e a existência*. Rio de Janeiro: Folha Carioca, 1998.
FREUD, Sigmund. *Obras completas*. Madri: Editorial Biblioteca Nueva, 1972.
FROMM, Erich. *Análise do homem*. Rio de Janeiro: Zahar, 1960.
GARDNER, Howard. *Inteligências múltiplas: a teoria e a prática*. Porto Alegre: Artes Médicas, 1994.
GOLEMAN, Daniel. *Inteligência emocional*. Rio de Janeiro: Objetiva, 1995.
HALL, Lindzey. *Teorias da personalidade*. São Paulo: EPU, 1973.

HUBERMAN, Leo. *A história da riqueza do homem*. Rio de Janeiro: Guanabara, 1986.

JUNG, Carl Gustav. *O desenvolvimento da personalidade*. Petrópolis: Vozes, 1961.

KERSHAW, Ian. *Hitler*. São Paulo: Companhia da Letras, 2010.

LIPMAN, Matthew. *O pensar na educação*. Petrópolis: Vozes, 1995.

MORIN, Edgar. *Os sete saberes necessários à educação do futuro*. São Paulo: Cortez, 2000.

PIAGET, Jean. *Biologia e conhecimento*. Petrópolis: Vozes, 1996.

SARTRE, Jean-Paul. *O ser e o nada*. Petrópolis: Vozes, 1997.

STEINER, Claude. *Educação emocional*. Rio de Janeiro: Objetiva, 1997.

YUNES, Maria Angela M. "A questão triplamente controvertida da resiliência em famílias de baixa renda". Tese (Doutorado). Pontifícia Universidade Católica-São Paulo, São Paulo, 2011.

Leia o primeiro capítulo de
Ansiedade: como enfrentar o mal do século,
de Augusto Cury

Capítulo 1

O mal do século: Depressão ou Síndrome do Pensamento Acelerado?

Qual é o mal do século? A depressão? Não há dúvida de que a depressão abarca um número assombroso de pessoas na sociedade moderna. De acordo com a Organização Mundial da Saúde (OMS), 1,4 bilhão de pessoas, cedo ou tarde, desenvolverão o último estágio da dor humana, o que corresponde a 20% da população do planeta. Mas, como veremos, a Síndrome do Pensamento Acelerado (SPA) provavelmente atinge mais de 80% dos indivíduos de todas as idades, de alunos a professores, de intelectuais a iletrados, de médicos a pacientes.

Sem perceber, a sociedade moderna – consumista, rápida e estressante – alterou algo que deveria ser inviolável, o ritmo de construção de pensamentos, gerando consequências seriíssimas para a saúde emocional, o prazer de viver, o desenvolvimento da inteligência, a criatividade e a sustentabilidade das relações sociais. Adoecemos coletivamente. Este é um grito de alerta.

Recentemente, durante minhas conferências para mais de 8 mil educadores em dois congressos, um nacional e outro internacional, apliquei um teste rápido sobre os sintomas básicos da SPA.

Pedi aos participantes que fossem sinceros e apontassem os sintomas que sentiam, porque quem não é honesto consigo mesmo, quem não tem coragem de se mapear, tem grande chance de ficar intocável, de levar seus conflitos para o túmulo. Antes, brinquei dizendo para sorrirem, pois o caso era de chorar... O resultado me deixou atônito, já que quase todos se achavam profundamente ansiosos e com sintomas psíquicos e psicossomáticos decorrentes dessa síndrome. Eles sorriam e relaxavam ao perceber que não estavam sós. Eram vítimas do que considero ser o verdadeiro mal do século.

O que fizemos com os filhos da humanidade?

Após minha última conferência antes de pegar o voo e retornar a São Paulo, um dos patrocinadores do evento, proprietário de uma grande escola de ensino fundamental, médio e universitário, com milhares de alunos, pediu-me insistentemente para visitar a instituição.

Eu tinha vinte minutos. Vendo seu enorme interesse, atendi ao pedido. Como não queria só fazer uma visita formal, mas dar uma contribuição, solicitei que escolhesse algumas classes de alunos, para os quais eu falaria brevemente sobre certas funções complexas da inteligência, sobre o Eu como gestor da psique e sobre como a Síndrome do Pensamento Acelerado compromete o desempenho global do intelecto. Rapidamente, os professores e coordenadores se organizaram e resolveram indicar as classes do terceiro ano do ensino médio. Dou aulas de pós-graduação e para profissionais de diversas áreas e raramente tenho a oportunidade de estar com alunos tão jovens.

Comentei com eles sobre as janelas killer ou traumáticas – sobre as quais tratarei mais adiante –, que contêm ciúme, timidez, fobias, insegurança e sentimento de incapacidade, e cujo volume de tensão pode bloquear milhares de outras janelas, impedindo o Eu de acessar dados e dar respostas inteligentes nas provas escolares e nas provas da vida. Disse que, ao longo da história, muitos gênios foram tratados como "deficientes mentais" por professores que nunca estudaram a teoria das janelas da memória e as armadilhas das zonas killer nos bastidores da mente.

Ao falar para aquela plateia, sabia que, em todo o mundo, os jovens raramente viviam o sonho de Platão (o prazer de aprender), de Paulo Freire (ter autonomia, opinião própria), de Jean-Paul Sartre (ser dono do próprio destino), de Freud (um ego que vive o princípio do prazer com maturidade), de Viktor Frankl (um ser humano em busca do sentido existencial) e o meu sonho (o desenvolvimento de um Eu maduro, capaz de proteger a emoção, gerenciar pensamentos e trabalhar outras funções complexas da inteligência para aprender a ser autor da própria história).

Os professores reclamam que os alunos estão cada vez mais agitados, ansiosos e alienados. Mas toda mente é um cofre; não existem mentes impenetráveis, e sim chaves erradas. Usei a chave correta, toquei o território da emoção daqueles alunos e os estimulei a viajar para dentro de si mesmos. Não se ouvia uma mosca enquanto eu falava.

Após minha breve exposição, indaguei-lhes sobre os sintomas da SPA que porventura vivenciavam. A grande maioria levantou a mão afirmando sentir dores de cabeça e musculares. Foi surpreendente. Quase todos também acenaram positivamente quando perguntei se acordavam cansados, sentiam-se irritadiços e intolerantes a contrariedades, sofriam por antecipação, tinham déficit de concentração e de memória.

A proprietária da escola, muito sensível, bem como os professores presentes, ficaram estarrecidos. Não imaginavam que a qualidade de vida dos seus alunos estava na lama. Muitos eram ricos, mas viviam como miseráveis nos solos da sua psique.

Por fim, fiz a última pergunta. Dessa vez fui eu quem ficou com a voz embargada e os olhos lacrimejantes. Indaguei quem tinha algum tipo de transtorno do sono, e, mais uma vez, muitos levantaram a mão. Esses jovens estavam na plenitude da vida, porém viviam entrincheirados, guerreando no único lugar onde temos de fazer uma trégua absoluta: a cama. O sono é vital para uma mente equilibrada, produtiva e saudável.

Eu parei, olhei para os professores e perguntei: "O que estamos fazendo com os filhos da humanidade?". Não me contive. Afirmei que, apesar de os professores serem os profissionais mais importantes da sociedade, o sistema educacional clássico está doente, formando pessoas doentes para uma sociedade estressante, pois leva os alunos, da pré-escola à pós-graduação, a conhecer milhões de dados sobre o mundo em que estamos, mas quase nada sobre o mundo que somos, o planeta psíquico.

A educação clássica muito raramente ensina aos estudantes as ferramentas básicas para que aprendam, desde a mais tenra infância, a habilidade de filtrar estímulos estressantes, proteger a emoção, gerenciar seus pensamentos, pensar antes de reagir, ser resiliente e, desse modo, alicerçar o Eu como gestor psíquico e aliviar, pelo menos um pouco, os graves sintomas da Síndrome do Pensamento Acelerado. Muitas escolas nas Américas, na Europa, na África e na Ásia podem formar técnicos com maestria, mas têm um débito enorme na formação de pensadores capazes de desenvolver mentes livres e emoções saudáveis.

Infelizmente, em todo o mundo, neurologistas, psiquiatras e psicopedagogos estão fazendo diagnósticos errados. Ao verem um jovem desconcentrado, irritadiço, inquieto, com baixo limiar para a frustração, diagnosticam como hiperatividade ou transtorno de déficit de atenção, em vez de SPA. Os sintomas são semelhantes, mas as causas e a abordagem são distintas. Esse assunto será comentado adiante.

Um Eu maduro ou imaturo

Vivemos na idade da pedra em relação aos papéis do Eu como administrador da psique. De quanto em quanto tempo fazemos a higiene corpórea, tomamos banho? A cada 24 horas? E a higiene bucal? A cada quatro ou seis horas? E a higiene mental? Por exemplo, quanto tempo temos para intervir quando somos invadidos por um pensamento perturbador, uma ideia autopunitiva, um estado fóbico? No máximo, cinco segundos.

Usando a metáfora do teatro, o nosso Eu, que representa a nossa capacidade de escolha, deve sair da plateia, entrar no palco da mente e fazer a higiene de modo rápido e silencioso enquanto está se processando o registro na memória da experiência angustiante. Como? Impugnando, discordando, confrontando, como um advogado de defesa faz num fórum para proteger o réu. Mas nosso Eu é lento demais. Não é educado para administrar a psique. Ele grita no mundo de fora e se cala no território psíquico. Faz, normalmente, o contrário do que deveria.

A grande maioria das pessoas dirige carro, mas não aprendeu a dirigir as próprias emoções, reações e pensamentos. Vivemos numa sociedade superficial e estressante, que todos os dias nos vende produtos e serviços, porém não nos ensina a desenvolver um Eu "gerente", maduro, inteligente, cônscio dos seus papéis fundamentais. Como está seu Eu?

O cárcere psíquico é capitaneado por doenças psicossomáticas, depressão, discriminação, violência escolar, dificuldade de transferência do capital das experiências, Síndrome do Circuito Fechado da Memória, Síndrome do Pensamento Acelerado, culto a celebridades e padrão tirânico de beleza. Tais cárceres são evidências da crise do gerenciamento do Eu.

Com frequência, comento com meus alunos pós-graduandos em psicanálise e psicologia multifocal que uma das tarefas mais nobres e relevantes do Eu é mapear, esquadrinhar nossos fantasmas e reeditar nossas janelas traumáticas. De outro modo, podemos fazer parte do rol dos que falam sobre maturidade mas são verdadeiros meninos no território da emoção, pois não sabem ser minimamente criticados, contrariados e, além disso, têm a necessidade neurótica de poder e de que o mundo gravite em sua órbita.

Certa vez, perguntei a executivos das cinquenta empresas psicologicamente mais saudáveis do país: "Quem tem algum tipo de seguro?". Todos responderam que tinham. Em seguida, indaguei: "Quem tem seguro emocional?". Ninguém arriscou levantar a mão. Foram sinceros. Como podemos falar de empresas saudáveis sem mencionar os mecanismos básicos para proteger a emoção? Só fazemos seguro daquilo que nos é caro. Mas, infelizmente, a mais importante propriedade tem tido um valor irrelevante.

Em geral, esses profissionais são ótimos para a empresa, mas carrascos de si mesmos. Acertam no trivial, mas erram muito no essencial. E eu? E você? Ainda que possamos dizer que a mente humana é a mais complexa de todas as "empresas", a única que não pode falir, infelizmente é a que vai com maior facilidade à bancarrota pelos descuidos inadmissíveis com que a tratamos. Ela não pode ser terra de ninguém e ficar vulnerável a todo estímulo estressante. Sua emoção tem seguro?

Escola da Inteligência

Imagine uma escola que ensina não apenas a língua a crianças e adolescentes, mas também o debate de ideias, a capacidade de se colocar no lugar do outro e de pensar antes de reagir para desenvolver relações saudáveis. Uma escola que não ensina apenas a matemática numérica, mas também a matemática da emoção, onde dividir é aumentar, e também ensina a resiliência: a capacidade de trabalhar perdas e frustrações. Continue imaginando uma escola que ensina a gerenciar pensamentos e a proteger a emoção para prevenir transtornos psíquicos. Pense ainda numa escola onde educar é formar pensadores criativos, ousados, altruístas e tolerantes, e não repetidores de informações.

Parece raríssimo, no teatro das nações, uma escola que ensine essas funções mais complexas da inteligência, porém agora há um programa chamado Escola da Inteligência (E. I.), que entra na grade curricular, com uma aula por semana e rico material didático, para ajudar a escola do seu filho a se transformar nesse tipo de escola.

O dr. Augusto Cury é o idealizador do programa Escola da Inteligência. Vamos às lágrimas ao vermos os resultados em mais de 100 mil alunos. Há dezenas de países interessados em aplicá-lo. O dr. Cury renunciou aos direitos autorais do programa E. I. no Brasil para que este seja acessível a escolas públicas e particulares e haja recursos para oferecê-lo gratuitamente a jovens em situação de risco, como os que vivem em orfanatos. Converse com o diretor da escola do seu filho para conhecer e adotar o programa E.I. O futuro emocional do seu filho é fundamental.

Para obter mais informações e conhecer as escolas conveniadas da E. I. mais próximas de você, acesse:
www.escoladainteligencia.com.br ou ligue para (16) 3602-9420.

Academia de Gestão da Emoção

A produção de conhecimento do dr. Augusto Cury e as suas decisões não têm apenas impactado leitores de muitas nações, mas também têm sido assunto da grande mídia. Seu mais novo projeto, que vem sendo desenvolvido nos últimos dez anos, é a Academia de Gestão da Emoção on-line. Trata-se da primeira academia de gestão da emoção do planeta; uma escola digital com programas gratuitos e projetos sociais fascinantes, com foco na prevenção do *bullying*, do suicídio e no fim da ditadura da beleza.

A academia também oferece cursos e seminários de Coaching de Gestão da Emoção. Nesse projeto, você aprenderá as ferramentas mais importantes para gerenciar a sua mente, superar os cárceres mentais e ser autor de sua história!

Para conhecer mais o projeto, acesse:
www.omelhoranodasuahistoria.com.br

#Augustocury #omelhoranodasuahistoria
#academiadegestaodaemocao
#4semanasparamudarasuahistoria